RENÉ HARDY

AMÈRE VICTOIRE

PAR

RENÉ HARDY

ROMAN

SUIVI DE

FRAGMENTS

INÉDITS

CLUB DES LIBRAIRES
DE FRANCE

Publié avec l'autorisation
des Éditions Robert Laffont

A « Mamie » Alavoine,
en qui j'ai retrouvé le cœur
de ma mère.

Et après

Seul reste le désert

Federico

Garcia Lorca

AMÈRE VICTOIRE

Le brigadier général G. W. C. Paterson, D. S. O. *, malgré la sueur qui ruisselait sur son visage rose, restait sanglé dans son uniforme. Il se souvenait toujours d'avoir appartenu aux Coldstream Guards au temps où les boutons de tunique étaient hautement significatifs et le « battle-dress » inconnu.

Souvent il se passait encore les doigts sur la poitrine pour y chercher les boules de cuivre de la tenue de gala, alignées deux par deux. C'était toujours la même surprise inquiète, la sensation qu'un ordre lui faisait défaut. Il ne se sentait plus à la mesure de son temps. L'audace d'une époque sans principes réduisait la tenue des généraux à une simple chemise dont le manque de fantaisie spoliait G. W. C. Paterson d'une certitude qui n'était pourtant plus qu'un tic, une attitude passée. Deux doigts pianotaient sur les

* *Distinguish Service Order : décoration britannique.*

deux boutons imaginaires à la hauteur où les officiers lèvent leur verre pour porter les toasts à la gloire du roi et de l'Empire.

Il épongea la sueur sur son beau crâne chauve et luisant. Un crâne bien entretenu, net, digne d'un vieux général de Sa Majesté. D'un regard furtif, il observa le major Callander, torse nu, les cheveux roux en bataille, qui travaillait à la table voisine.

— Je ne m'y ferai jamais ! dit-il à mi-voix, en hochant la tête. Peut-être s'agissait-il de la tenue de Callander ? Peut-être de la chaleur ? Peut-être de quelque chose de plus secret qui tenait à l'absence des boutons fameux de l'uniforme des Coldstream Guards ?

Discrètement, n'en pouvant plus, il ouvrit son blouson, puis sa chemise et décolla celle-ci de sa peau pour y faire pénétrer un peu d'air frais. Le major leva les yeux. G. W. C. Paterson, D. S. O., se reboutonna avec l'air d'un enfant pris en faute.

— Je vous serais très obligé, Callander, d'avoir une tenue plus décente. Le Q. G., dans une telle situation, doit donner l'exemple.

Callander remit sa chemise en soupirant, sans toutefois pousser l'obéissance jusqu'à la rentrer dans son short.

L'éclatante lumière de la fournaise extérieure filtrait à travers les interstices des stores. Seuls, le crépitement des machines à écrire et le ronronnement des ventilateurs troublaient le silence.

G. P., D. S. O., comme l'appelaient ses subordonnés, ou plus souvent G. P. : « General Paralytic » ayant ainsi sauvé le prestige du Q. G., saisit un dossier de sa belle main paresseuse. Une ombre d'ennui se dessina sur son front moite. Pensif, il lissa de l'index sa moustache blanche. Une goutte de sueur s'écrasa, délayant un peu de l'encre rouge du « Top secret — Operation Footing » qui barrait le coin gauche.

Il la sécha soigneusement. Une idée saugrenue, lui sembla-t-il, le traversa : « On pourrait croire que j'ai versé une larme », comme autrefois Mary dans ses lettres, quand il était jeune sous-lieutenant à la « Frontière du Nord-Ouest », à la Kyber-Pass. Elles étaient toujours ponctuées, ici ou là, d'auréoles d'encre délayée, trace de larmes émouvantes qui lui donnaient mauvaise conscience.

Minutieusement, il entoura le rond rose clair d'un trait de crayon noir, puis se ressaisit à l'instant où il transformait la tache en cœur de marguerite en y ajoutant des pétales. Son regard bleu affolé rôda autour du bureau. Le major Callander n'avait rien vu. Paterson prestement effaça les traces de sa distraction.

Il contempla le dossier comme s'il n'osait pas l'ouvrir . . . « Operation Footing ». Quarante-cinq morts peut-être ? Et après ? Cela ne justifierait tout de même pas son rappel. Il entendait déjà les récriminations de Mary s'il était versé dans les unités de la Garde Territoriale, cette déplorable armée de civils.

— Qu'en pensez-vous, Callander ?

— Dieu me garde de penser, je ne suis pas là pour ça. Toutefois je ne crois pas que le succès des armes de Sa Majesté soit lié à l'absence de chemise sur le dos d'un malheureux major, par 35° à l'ombre.

— Je veux parler de cette affaire — G. P. brandit le dossier. Alors, vous n'en pensez rien ?

— Non, Sir. Pas encore.

Paterson devint rouge brique.

— Ne feriez-vous pas face à vos responsabilités ?

Callander se raidit, regardant en face le général. Celui-ci évita les yeux du major.

— Mes morts me suffisent, Sir.

G. P. se tassa un peu sur lui-même, décontenancé, en feuilletant machinalement le dossier.

A l'extérieur, la vie reprenait dans le ronflement des jeeps, les coups de freins soulevant une grêle de graviers, les explosions des motos, c'était le branle-bas de l'heure des courriers.

Le major, chargé de toutes les opérations spéciales, tendit l'oreille. Depuis quelques jours, tous les après-midi, à cette heure, il devenait nerveux. « Aurait-il enfin un indice, un renseignement ? Le mystère se lèverait-il sur le commando du capitaine Brand ? »

G. P. était occupé à chasser deux mouches qui tentaient de se poser sur son visage si propre. « Les mouches cherchent toujours les yeux, l'humidité . . . » C'était sa hantise. Il les voyait venir avec horreur, comme un affront, des conjonctivites et des trachomes indigènes, se poser sur les yeux clairs, les paupières roses du général Paterson.

— Callander, pourquoi n'a-t-on pas fait de pulvérisation aujourd'hui ?

— Lundi, mercredi, samedi, Sir . . . Note de service H Q 7052. — Comme à regret, il ajouta :
— Nous sommes mardi et c'est la saison des dattes.

G. P. eut un geste las.

— C'est incroyable . . . Ces mouches peuvent nous contaminer, désorganiser l'armée avec tous ces cadavres pourrissants dans les sables.

Il s'arrêta brusquement : « Les cadavres dans les sables », « Operation Footing », les mots dansaient devant ses yeux. « Il leur avait pourtant donné tous les atouts pour réussir. Une opération si bien pensée ! . . . »

Callander le regardait rêveusement.

— Je dois présenter mon rapport demain sur cette affaire.

Callander comprit alors les raisons de l'agitation du général et prit plaisir à l'accabler.

— Mauvaise affaire, Sir.

— Que peut-on faire ? Vous pensez qu'ils sont tous . . .

— Attendre, Sir.

— J'aurais voulu faire un compte rendu précis à mon successeur . . . Si toutefois je dois être remplacé.

Callander ne répondit pas ; il avait envie d'étrangler G. W. C. Paterson, D. S. O., en songeant à ce commando engagé dans une opération mortelle depuis dix-huit jours à travers le désert de Libye, alors que ce vieillard égoïste et cruel ne pensait qu'à son avenir. L'annonce de l'arrivée d'Alexander au commandement de ce théâtre d'opérations laissait prévoir des limogeages spectaculaires dès le départ d'Auchinleck et G. P. vivait dans l'inquiétude.

— Vous n'avez rien entendu dire à ce sujet, Callander ? . . .

— Quel sujet ?

— Des mutations éventuelles.

— Sir, le commandant en chef n'a pas cru bon de m'informer de ses projets.

Le G. P. s'abîma dans une rêverie qui le conduisait à Tawton dans sa propriété du Dorset, au bord de la Taw, fleurie de rhododendrons. Le général Paterson commandait la Garde Territoriale, il était l'objet du respect et de la déférence de ses subordonnés, de l'humour ironique des populations. Il ordonnerait un exercice d'alerte de nuit chaque semaine pour leur apprendre ce qu'était la guerre.

L' « Operation Footing » reposait sur le coin du bureau avec sa charge de mystère et de sang enclose dans des imprimés d'aspect anodin, des fiches signalétiques, des ordres soigneusement rédigés, suffisamment vagues pour ne pas attirer d'ennuis trop graves à leur auteur, des cartes à l'allure de prospectus des bureaux de voyages avec, ici et là en surimpression, des touffes d'herbes bleues, des bouquets de palmiers verts, des cubes blancs à coupole de marabouts. On s'attendait à voir, sous les itinéraires tracés en rouge : « Le désert en quatre jours, ses mirages, ses caravanes, les médinas et leurs danses lascives, les quartiers réservés... » Mais le trait pointillé suivait des pistes indécises dans une grande zone vide de noms, couleur du calcaire des squelettes blanchis au soleil du désert.

L'après-midi avait été longue pour Paterson. Après la conférence de 17 h. 30, il rentra préoccupé.

— Je voudrais faire le point avec vous, dit-il.

Callander sut aussitôt ce dont il s'agissait. Il ne broncha pas.

— Enfin, Callander, avec Brand, c'était une opération bien montée ?

Les deux visages étaient rejetés dans l'ombre au-dessus du cône de lumière éclairant les bureaux. Le masque roux, bronzé, du major semblait taillé dans une racine de bruyère. Sa chemise ouverte laissait voir une toison qui montait presque au cou. Il eut envie de se lever et de faire taire cette voix mesurée, qui ne parvenait pas à masquer son inquiétude. Il lâcha :

— C'était un crime, Sir.

— Comment ?

Ce fut une sorte d'aboiement. Paterson étouffait. Il se leva et s'empara du dossier.

Callander se sentit oppressé, sachant que G. P. allait tenter de justifier son entreprise, pour polir les arguments qu'il serait amené à développer devant l'état-major. Peut-être aussi pour se donner du courage quand il devrait recevoir Jane Brand qui téléphonait presque chaque soir à Callander, depuis une semaine.

— Vous pensez que j'ai commis une erreur en choisissant le capitaine Brand pour cette opération ?

— Brand, Sir, était un homme bourré de complexes. Il tremblait, il y a un mois, en sortant de ce bureau. Il n'a même pas pu se retirer convenablement. Il a franchi la porte comme quelqu'un qui ne possède pas le contrôle de ses nerfs. Ce n'était pas l'émotion d'être distingué pour cette mission... Non, mais l'embarras d'un homme pris au piège de son propre personnage qui ne savait pas comment refuser votre proposition. La mort de Brand n'est pas grave, Sir..., mais celle des autres...

— Que savez-vous pour parler ainsi ?

— Rien. Souvenez-vous de ses paroles : « Sir, je ne me sens pas préparé. » « Sir, suis-je digne d'une telle mission ?... » Etait-ce le Brand que nous connaissions au mess ou au club, ne parlant que de pourfendre l'ennemi, vitupérant contre son inaction ?

— Ce n'étaient que des scrupules, et ils lui faisaient honneur, Callander.

— A moins que ce ne fût la peur.

— Dites-moi que mon choix était mauvais !...

— Oui, Sir.

G. P., D. S. O., en eut le souffle coupé.

Posément, il ouvrit le dossier et fixa Callander de ses yeux bleus, presque enfantins sous les sourcils blancs et broussailleux, faisant penser à une moustache qui se serait trompée de place.

Le major continuait à dépouiller ses informations. De temps en temps, il notait quelque chose ou pointait un signe sur une carte étalée à côté de lui. Sa synthèse quotidienne de renseignements n'avançait pas.

— Voulez-vous m'écouter, Callander ? Je dis que Brand est un officier brillant . . .

— Une paire de bottes bien cirées . . .

— Que diable avez-vous contre lui ?

— Rien, Sir, sinon que je n'aime pas, pour ce genre de mission, les gens qui ressemblent trop, quand ils sont au garde-à-vous, à la gravure d'un règlement d'infanterie, tous poils alignés. J'aime mieux les coriaces.

— En tout cas, je préfère sa tenue et son maintien aux vôtres.

Le major contempla sa chemise déboutonnée, abandonna ses crayons de couleur et, tranquillement, bourra une pipe.

— Naturellement, Sir.

Paterson était dérouté. Callander représentait une énigme. C'était pour lui un animal d'une espèce particulière et rare dans l'armée. Comment avait-on pu laisser accéder aux cadres de l'état-major cet officier débraillé ? Il semblait toujours à son aise et lui, général Paterson, D. S. O. . ., M. C., devant qui tout le monde tremblait, ne parvenait pas à l'impressionner ?

— La discipline de la tenue . . . Le détail, Callander, c'est dans le détail que les hommes se révèlent.

— Oui, Sir, mais permettez-moi de vous dire que la tenue n'a plus grand'chose à voir dans une aventure pareille. D'abord parce qu'on les a déguisés en chameliers et que Brand, à cette heure, ne s'est probablement pas lavé depuis huit jours, sinon plus, et doit commencer à sentir aussi fort qu'un vieux fromage de Crowdie. Sa dignité doit être sérieusement compromise. Ensuite . . .

— Sachez que, lorsque j'étais sur la frontière du Nord-Ouest, quels que fussent le temps et les circonstances, je changeais de tenue à cinq heures tous les soirs et, quand nous n'avions pas assez d'eau, je me lavais le pied droit les jours pairs et le pied gauche les jours impairs.

Le major regarda d'un air à la fois inquiet et souriant le général, qui eut conscience de s'être laissé aller à une incongruité.

— C'était parfait pour les mois de trente jours, Sir, dit Callander en riant, pour l'arracher à son embarras.

Paterson prit le parti de rire.

— Callander, vous êtes un homme curieux. Vous n'êtes pas Anglais, n'est-ce pas ? Je ne vous comprends pas toujours . . .

— Non, Sir, Ecossais. Buveur, bavard, indiscipliné . . . Et j'appartiens à l'Eglise qui est le plus loin de Dieu... naturellement l'Eglise d'Ecosse...

— Oui, je vois.

Callander fut sur le point de lui demander ce qu'il voyait pour le plonger dans l'embarras. Il en eut pitié. G. P. avait assez d'ennuis avec son avenir. Cette glorieuse opération dans laquelle quarante-cinq hommes étaient peut-être en train de mourir pour prouver la justesse de ses vues, l'habileté de sa tactique, risquait de lui valoir son poste.

Le major travaillait distraitement. Il savait qu'il n'échapperait pas au bavardage du général.

Celui-ci caressait ses sourcils en soufflant un peu plus fort que d'habitude. Callander le regardait sans aménité.

— A propos, pourquoi n'a-t-on pas servi le thé aujourd'hui ?

— A propos ?... Le major se ressaisit. La guerre tue toujours les traditions, Sir, et crève parfois un pipe-line d'eau douce.

— C'est infernal. Pas de thé, pas de D. T. T. Je crains que la situation ne soit plus grave qu'on ne le dit.

— Pour les hommes de l'« Operation Footing » sans doute, Sir.

— De toute façon, on ne peut rien nous reprocher.

Ce « nous » acheva de l'irriter.

— On ne reproche jamais rien à un général, Sir. Morts, ce seront des héros sacrifiés pour une expérience nécessaire, riche d'enseignements.

Vivants, des héros ayant justifié la haute valeur du commandement. A votre échelon, Sir, on ne perd jamais. Sans cela, où irait-on ? . . . Me voici en pleine orthodoxie.

— Ecoutez-moi, Callander, reprenons cette affaire. Le chef d'abord : Brand, avec lequel vous êtes injuste.

Il prit une fiche signalétique et se mit à la lire.

— *Brand David Peter . . . 1910 . . . 32 ans . . .* Passons . . . *Sorti n° 3 de Sandhurst. Sous-lieutenant au 6e Gurkha Rifles. Ecrit un dictionnaire tamyl usuel. Nommé à l'état-major de New-Delhi. Adjoint au Bureau d'informations et de renseignements. Promu capitaine au choix. Attaché au Cabinet du vice-roi. S'y révèle un organisateur de premier ordre.* Tout cela est fort élogieux.

— Oui. Organisateur parfait de bals et réceptions. Bon danseur, baisemain, sait faire valser les épouses de ses supérieurs . . . Et surtout se taire . . . Facile. Il ne devait pas avoir grand-chose à dire si j'en juge par son entretien avec vous le mois dernier : « Oui, Sir », « non, Sir » . . . Autre chose de faire mille kilomètres dans le désert. Mais voilà, il avait un beau dossier . . .

— Je ne m'étonne plus que vous ne soyez pas encore colonel, Callander.

— Ce qui m'étonne, c'est d'être déjà major, Sir. En effet, peut-être suis-je injuste . . . Un pressentiment.

— Il a servi au Queen's Own Cameron Highlanders *. Ce n'est pas une référence, cela ? . . .

— Ça donne tout juste le droit, en civil, au port d'une belle cravate aux couleurs du régiment. Cela vous pose un homme, et fait pâmer les vieilles dames : « Racontez-nous vos souvenirs du Cameron, capitaine. »

Après un temps, il conclut, en envoyant une bouffée de fumée au plafond :

— D'abord, je ne vois pas pourquoi on l'a accepté au « Cameron ». Il n'est même pas Ecossais.

— C'est quand même une référence, Callander.

— Vous ne me convertirez pas ainsi, Sir. Et puis, je ne peux pas sentir les types qui se grattent l'oreille gauche avec la main droite . . . Il y a là quelque chose de tordu.

Paterson essaya. Sa main potelée glissa derrière son crâne rose.

— C'est curieux, en effet, dit-il. Je n'avais pas remarqué. Très compliqué.

— Convaincant, n'est-ce pas ?

— Enfin, il est volontaire pour le Long Range Desert Group **.

— Oui, et il échoue à l'Imperial Camel Transport Corps à compter les chameaux.

— Le Camel Transport est d'une importance

* *Un des plus célèbres régiments d'Ecosse, dont le roi d'Angleterre est toujours colonel en chef. Aujourd'hui, le duc d'Edimbourg.*

** *Patrouilles du désert.*

capitale . . . Le lieutenant Leith m'inquiète beaucoup plus. C'est vous qui l'avez choisi, Callander.

— Oui, Sir.

— C'est un intellectuel, un fantaisiste. Je me méfie de l'imagination de ce genre d'hommes. Il ne participait jamais à nos petites réunions amicales du club.

— Possible, Sir. Il n'a pas été choisi en qualité de brillant officier et d'homme du monde, mais pour ses connaissances parfaites des langues du pays et des mœurs. Ce qui manquait à Brand. Orientaliste de talent. Archéologue. Cinq années de voyages dans le désert, le Fezzan, l'Egypte. L'expérience et un courage déjà éprouvé. Evidemment, le lieutenant Leith fuyait, comme la peste, le corps distingué des officiers d'active, dans ses divertissements. Sir, le bridge n'est pas une connaissance indispensable pour aller se faire trouer la peau ou crever de soif dans le désert.

Le silence retomba entre les deux hommes. Le major reprit son travail et Paterson continua à feuilleter le dossier de l' « Operation Footing ».

Callander errait dans les grandes dunes, à l'ouest de Siouah, voyait des cadavres jonchant la dépression de Kattara.

Pourquoi avait-il tracé cet itinéraire de retour ? Pourquoi n'avoir pas tenté de les récupérer à cinq cents kilomètres à l'est de Benghazi entre Ben Gania et Hatiet er Atem, par avion ou par une colonne mobile venant de Koufra, par exemple ? Il buta contre les objections de

Brand. « La synchronisation des deux opérations est trop aléatoire, Sir. Je préfère rentrer par mes propres moyens. » Brand avait joué la difficulté avec une sorte d'hystérie dont le souvenir maintenant l'effrayait.

Paterson pensait à sa conférence du lendemain avec le nouveau chef d'état-major. Il l'entendait déjà crier : « Alors vous avez pensé atteindre le Q. G. de Benghazi, le détruire comme cela . . . avec un commando léger . . . comme les Allemands ont tenté avec le baron Almassy sur notre Q. G. Et alors ? Almassy, nous l'avons eu dans la dépression de Kattara . . . Où est-il, votre commando ? . . . Impossible par la terre . . . Par mer, peut-être. En tout cas, il eût été préférable de le tenter par cette voie. »

Pourquoi, y ayant songé, avait-il repoussé cette solution ? Pour ne pas partager les lauriers avec la Navy ? Et que dirait-on quand ses instructions seraient connues ? « C'est un crime », avait dit Callander. Avait-il outrepassé ses droits de général en rédigeant cette instruction cruelle qui donnait à Brand un pouvoir et une responsabilité dramatiques ? Mais quel moyen avait-il de les défendre contre eux-mêmes, leurs faiblesses ? Sinon cet ordre . . .

— Callander, avec le déménagement du Q. G. avancé à Burg el Arab, les transmissions peuvent être retardées, n'est-ce pas ?

— Possible, Sir . . .

— Cette absence de nouvelles est cependant inquiétante.

— Ce serait plutôt rassurant. Cela tendrait à prouver qu'ils n'ont pas été repérés.

Callander posa la question qui l'obsédait depuis longtemps :

— Je me demande quels mobiles ont pu déterminer Brand à accepter cette mission ? Il avait vingt-quatre heures pour réfléchir. Il sort de votre bureau à dix-huit heures, comme un homme affolé, ayant sollicité ce délai de réflexion, en réalité pour trouver les moyens de refuser. Car il n'a pas osé dire non, c'est un brillant officier qui laisse pousser sa moustache quand le colonel du régiment en porte une. Puis, à vingt heures, il vous téléphone brusquement qu'il accepte. Qui l'y a poussé ?

Il avait parlé comme pour lui-même et G. P. le regardait surpris.

Callander ne trouvait pas d'explication au comportement de Brand. Ce que Paterson prenait pour de l'esprit de décision, du courage, pouvait être autre chose.

Ce n'était pas tout ce qui le troublait. Quand, le lendemain, il avait dit à Brand devant Leith : « Nous n'attendions pas votre réponse avant vingt-quatre heures », Leith avait haussé les sourcils et eu un sourire ironique en regardant Brand, silencieux et gêné.

Paterson refermait le dossier.

— Non, Callander, pour le choix des hommes, je m'y connais.

— Certainement, Sir, puisque vous m'avez choisi.

Avec le soir, l'atmosphère fraîchissait. Les ventilateurs s'étaient arrêtés. Un planton entra portant une sacoche de plis. Callander s'en empara et se mit à dépouiller les enveloppes. La fraîcheur le faisait rêver à Bught Park, à Inverness, à ses pelouses vertes, aux longues soirées d'été. Il sifflotait entre ses lèvres la marche de « Braemar Highlanders ». Puis il s'arrêta en ouvrant un pli, se demandant ce qu'il allait trouver. « Secteur Benghazi. » Brand, Leith, Evans, le petit Barton, tous ceux-là qui avaient été soigneusement sélectionnés pour aller se faire tuer se pressèrent dans ses souvenirs. Il aurait dû s'opposer à la nomination de Brand.

Il parcourut la feuille de papier bulle et se tourna vers D. S. O. Comme à regret, il dit :

— Je suppose que vous avez gagné, Sir.

Il lui tendit la feuille.

Le général y jeta un coup d'œil.

— Qu'est-ce à dire ?

— Pardon, Sir, je vais le déchiffrer. L'indicatif est d'un de nos agents de Benghazi. Je crois comprendre que . . .

— Déchiffrez donc.

Callander ouvrit ses codes. Il prit plaisir à faire attendre Paterson. Au fur et à mesure de son travail, il était confus de sentir que la nouvelle ne lui faisait pas plaisir. Il imagina la réaction de G. P. Pour un peu, il eût souhaité un désastre. « Quel salaud je fais ! » pensa-t-il.

Enfin, il lut à haute voix :

*Le Q. G. allemand de Benghazi a sauté dans la nuit du 8 au 9. Gros dégâts. Le commandement ennemi, après avoir fouillé la ville, détruit avec ses chars une partie du quartier indigène, a acquis la certitude qu'il s'agit d'un raid de commando. Il a lancé des patrouilles des « Kampfgruppen » * vers le Sud et l'Est.*

Paterson se redressa triomphant et ferma le dossier en se levant.

— Je savais que j'avais raison, Brand est un officier remarquable. Quand je pense que vous m'avez fait douter de la justesse de mes vues ... Je vous invite à boire un « Antiquary » ce soir, chez moi.

— Pour le choix du whisky, Sir, vous êtes digne d'être Ecossais. Mais Benghazi c'est loin.

— Ils reviendront, vous pouvez classer cette affaire.

— Pas encore, Sir. C'était le 9 août, nous sommes le 14.

— Et alors ?

— Il reste les hommes, Sir ...

— C'est entendu, mais l'important, c'était de réussir. J'espère qu'ils rentreront en rapportant des documents intéressants pour les jours à venir.

— Encore faudrait-il qu'ils n'arrivent pas

* *Colonnes légères allemandes de toutes armes.*

trop tard pour être utilisés. Au train où vont les choses . . .

— Je ne pouvais pas prévoir, avec le changement de commandement, une offensive si brusquée. Je vais aller informer mes collègues de l'état-major.

Au moment où il s'apprêtait à sortir, il se retourna, soupçonneux, en lissant ses sourcils.

— A vrai dire, Callander, votre attitude m'apparaît étrange dans cette affaire. Il faut avoir confiance dans ce qu'on entreprend. J'ai toujours eu confiance, moi.

Le major se leva quand G. P. sortit, puis il poussa un juron dès que la porte fut refermée.

Il reprit la dépêche et la relut lentement. Combien avaient-ils d'heures d'avance ? Y avait-il des tués ou des blessés ? Des blessés . . . il se sentit pris de panique à cette pensée. La folie des ordres du G. P. lui devint abominable. Autant de questions qui restaient sans réponse. La nuit du 8 au 9 . . . Il leur faut encore cinq jours pour atteindre les chameaux, et les Allemands doivent être fous de rage . . . Après, les risques augmenteront avec la vitesse, les traces, la marche de jour. Et les chameaux, ont-ils pu arriver sans être repérés ? Question plus dramatique. Sans eux, il n'y aurait pas d'espoir . . . L' « Operation Footing » apparut à Callander comme une monstrueuse stupidité. Les renseignements ne parviendraient jamais en temps utile, s'ils parvenaient un jour . . . Quelques bombes, dans ce cas, eussent suffi à obtenir le même résultat. Mais voilà, c'était une opération bien minutée sur le papier, impressionnante comme un scénario parfaitement réglé. G. P. metteur en scène . . . acteurs gratuits . . . Callander machiniste . . . Le pasteur, son père, de sa tombe du petit cimetière de Lochinver battu par les vents du large, pouvait être fier de lui : « Fais un soldat, tu ne sauras jamais te conduire tout seul », l'inoubliable condamnation lui revint à l'esprit, accrût sa fureur contre lui-même.

Il prit le dossier, l'enferma dans son coffre et eut la sensation de mettre au tombeau Brand, Leith et les autres. Un jour prochain, il écrirait « classé » en travers. Le général serait toujours général au Q. G. et Callander un lâche, qui n'avait pas su s'opposer à une criminelle imbécillité. Paterson n'aurait plus qu'à faire des propositions de récompense à titre posthume. Brand aurait la D. S. O., Leith la M. C. De là-haut, cela ferait rire Leith. Mais Brand serait inconsolable de ne pouvoir s'exhiber avec sa médaille au bal annuel des anciens du « Cameron ». Barton ne collectionnerait plus les trophées nautiques à Oban. Il rouvrit le coffre et feuilleta les fiches. Il s'arrêta sur celle de Leith . . . En face du traditionnel « personne à prévenir en cas d'accident », Leith avait écrit : « Néant », puis il l'avait rayé et remplacé par : « Mrs. J. Brand. »

— Curieux que je ne m'en sois pas aperçu. Incroyable, dit-il à mi-voix.

Il passa la main dans ses cheveux, dérouté. La fumée d'une pipe ne parvint pas à le distraire de la pensée des deux hommes : de Brand, qui avait, contre son attente, accepté la mission et jusqu'ici menée à bien ; de Leith, qui maintenant lui apportait un nouveau mystère.

— Je saurai pourquoi Brand a accepté, dit-il à haute voix.

Il sortit de son tiroir une « flasque » de whisky, en but une gorgée avant de décrocher le téléphone pour demander, à Ismaïlia, Mrs. J. Brand.

2

La nuit tombait sur le Djebel el Akdar, « la montagne verte », qu'une partie des hommes du commando venait de franchir. Ils se reposaient dans les derniers contreforts. La dépression de M'Sous et ses « marécages » s'étendaient au sud-est, à cinquante kilomètres.

Brand étira son corps endolori. Dans quelques minutes, il lui faudrait donner le signal du départ. Il calcula qu'en quatre nuits ils avaient à peine parcouru quatre-vingts kilomètres dans leurs marches nocturnes et épuisantes à travers les rocailles du djebel. Ils devaient à tout prix atteindre le lit, desséché en cette saison, de l'oued qui les guiderait en direction de l'oasis de M'Sous. Près de là, ils trouveraient les chameaux du sergent Evans, et tout deviendrait plus facile. Le jeune Barton et ses hommes ne donnaient toujours pas signe de vie. Peut-être avaient-ils été accrochés ? Il en était moins inquiet que des chameaux d'Evans, du piège que pouvait constituer

M'Sous occupé par l'ennemi et surtout que de son propre avenir.

Depuis cinq jours, il vivait dans une angoisse qui ne le quittait pas. Il avait pourtant réussi à faire sauter le quartier général de Benghazi et à éviter, en se terrant le jour, les patrouilles ennemies lancées à leur recherche. Il eût dû en éprouver de la joie, de la fierté et n'y parvenait pas. Aux yeux de tous, sauf d'un autre et de lui-même, il était un chef courageux qui avait su accomplir une sensationnelle mission. Cette pensée le rongeait. Par moments, il était saisi de vertige à la pensée que Leith puisse parler quand ils arriveraient au quartier général avancé. A d'autres, il se voyait triomphant. Leith se tairait peut-être par mépris pour lui, ou bien par égard pour Jane. Cette pensée qui, quelques semaines plus tôt, eût excité sa jalousie, il l'acceptait et s'y accrochait. Mais quel intérêt aurait Leith à se taire pour l'épargner devant Jane ? Au contraire, il le détruirait aux yeux de celle-ci pour les séparer et mieux la conquérir. Cette idée lui était insupportable. Avant d'arriver au Q. G. il se promit de savoir quels étaient les sentiments de Leith pour Jane.

Il regarda sa montre, mais ne se décida pas à bouger. Il eût voulu rester étendu sur le sable et que celui-ci l'absorbât lentement, l'engloutît afin de trouver le repos définitif. Sa joie était pourrie. Même la disparition de Leith ne lui permettrait pas de goûter le triomphe d'une réussite entière, pure. Il savait depuis toujours que cela devait arriver. Pourquoi avait-il donc accepté ce commandement et pourquoi Leith s'était-il trouvé sur sa route aux deux instants décisifs de sa vie, pour le dépouiller de sa paix, le livrer à sa vérité ?

Si ce soir-là Jane avait été seule, Brand serait toujours à Ismaïlia. Il n'aurait pas eu à se confronter avec la réalité de la guerre. Il continuerait à se bercer de son illusion d'être un officier né pour le combat, à poursuivre le jeu, la comédie du « brillant capitaine Brand ». Il avait fallu que Leith, par hasard, fût là.

L'agent de liaison du Bureau des Opérations était venu droit vers lui, un pli à la main, le délivrant de sa solitude en même temps qu'une sourde inquiétude se levait en lui, un avertissement au plus secret de sa chair : le frémissement de la peur.

Depuis deux heures, il était assis au club des officiers du Q. G. en compagnie de Jane et du lieutenant Leith. Celui-ci éblouissait sa femme par ses paradoxes, sa culture.

Le supplice avait duré. Chaque rire de Jane l'humiliait et il lui fallait toute sa force pour ne pas leur crier sa jalousie. Il serrait sa pipe entre ses dents à la briser. Il s'était senti ridicule et misérable quand il avait exposé que les replis successifs n'étaient que tactiques afin d'allonger les voies de communication de Rommel pour le détruire plus aisément, et que Leith avait répondu que l'armée britannique était un magnifique élastique revenant toujours à son point de départ, une sorte de yoyo dans les mains de l'état-major qui semblait ne pas aimer s'éloigner trop longtemps du confort des clubs du Caire.

Il avait relevé l'impertinence comme une offense et Jane, amusée, attendrie, n'avait fait que le meurtrir davantage en prenant le parti de Leith.

— Mon pauvre David, vous prenez tout au sérieux... Ce n'est qu'une boutade de Leith...

— Vous faites fausse route, Jane, les officiers d'état-major ont besoin d'être pris au sérieux, n'est-ce pas, Brand ?

L'arrivée de l'agent de liaison avait évité un éclat.

— Capitaine Brand, un pli du Q. G.

Il avait émargé le reçu, reprenant une importance soudaine et jeté un coup d'œil furtif à Jane qui le fixait gravement. Il lui en avait été reconnaissant.

— C'est une convocation du Q. G.

Il se souvenait que, dès cet instant, la peur s'était à nouveau installée en lui.

— Je vous le disais, le Q. G. travaille la nuit pour être pris au sérieux par l'officier subalterne. Ses ordres deviennent tous « urgents » et les contre-ordres « très urgents ». On prend Tobrouk d'urgence et aussitôt il devient non moins urgent de l'évacuer...

Quand il s'était levé, proposant à Jane de la reconduire, elle avait refusé et il n'avait pas osé insister. Elle s'était cependant inquiétée de lui, mais en s'adressant à Leith.

— Que signifie cette convocation à pareille heure ? Puis se tournant vers lui : Pensez-vous que ce soit grave, David ?

— Sans doute, sinon on ne me convoquerait pas ici.

Il avait joué à l'inquiéter, savourant sa mesquine vengeance, un instant heureux de son importance, et Leith, d'une phrase, avait tout ridiculisé :

— Grave ? Pensez-vous ! Un général a été pris d'un besoin urgent de savoir le nombre de chamelles ayant mis bas entre le premier et le dix de ce mois. Ça l'empêchait de dormir.

Leith, en lui rappelant son piètre commandement, avait tout déclenché.

Il les avait laissés en tête à tête. Leith s'était levé à son départ et ils s'étaient salués dans la nuit sans un mot. Le lieutenant souriait, l'air ironique comme à l'habitude avec une sorte d'assurance nonchalante qu'il lui enviait.

En s'éloignant, il l'avait encore entendu dire :

— Les officiers de Sa Majesté se sentent toujours personnellement distingués par Sa Majesté quand on leur remet une enveloppe portant le « His Majesty's Service », en gros caractères . . .

Jane lui avait adressé un petit signe, un signe distrait, lui avait-il semblé, et il était monté dans sa jeep.

Brand chercha une autre position. Il n'aurait pas cru que le sable fût si dur. Dès qu'il s'allongeait après une longue marche, c'était une sensation merveilleuse, le sable se moulait au corps, puis, au bout d'une heure, le supplice commençait, le moule blessait. Il changeait de position, reformait un nouveau moule dont le confort ne durait pas, et sa pensée évoluait avec ces alternances de détente et de tension douloureuse.

Le général Paterson le féliciterait pour sa réussite. Il regrettait maintenant d'avoir hésité à accepter cette mission comme si son hésitation devait lui enlever une part de mérite aux yeux de celui-ci.

Et pourquoi le major Callander l'avait-il traité comme s'il eût voulu le décourager ?

— Réfléchissez, Brand, c'est une mission difficile et périlleuse.

Etait-ce parce qu'il l'avait deviné ou bien parce qu'il lui témoignait de la sympathie ?

Il avait eu grand'peine à se dérober, à demander un délai pour donner sa réponse. Il ne pouvait pas accepter. Le temps d'un éclair, il avait vu Jane et Leith conversant dans une sorte d'accord intime et lui, éloigné et peut-être tué. Jane, qu'il avait mis si longtemps à conquérir, Leith, qu'il haïssait et en la compagnie duquel elle semblait se plaire . . .

Tout lui disait de refuser. Il était revenu au club. Ils étaient encore là. Il les revoyait, quand il s'était arrêté au seuil de la salle : elle rieuse et amusée, Leith la regardant avec quelque chose dans les yeux qu'il n'y avait jamais vu, une sorte de douceur, un air détendu. Il lui avait paru alors impossible de la quitter, de l'abandonner à la séduction de ce Leith, qui ne respectait rien. Il s'était avancé vers eux, elle l'avait interrogé du regard et Leith avait ironisé :

— Vous avez guéri les insomnies du général ?

— Lieutenant, il est des moments où la légèreté des propos devient un affront.

Leith s'était levé :

— Excusez-moi, Sir, et permettez-moi de me retirer.

Quelle vanité l'avait alors poussé à dire :

— Le général Paterson vient de me faire l'honneur de me confier une mission de la plus haute importance, Jane.

A cet instant, il avait senti qu'elle l'admirait : une ombre fugitive d'inquiétude était passée sur ses traits. Il avait alors cru lire l'incrédulité et l'ironie dans les yeux de Leith et, comme poussé malgré lui, il avait ajouté :

— Je l'ai acceptée.

— Naturellement, David.

Le mot de Jane lui avait fait réaliser d'un coup l'engagement qu'il venait de prendre. Il l'eût assommée pour ce « naturellement ». Elle ne s'était pas rendu compte de la gravité de ses paroles, ou bien y voyait-elle la satisfaction d'un désir de liberté ?

— David, c'est merveilleux que ce soit vous qu'on choisisse. Vous voyez en quelle estime on vous tient. N'est-ce pas, Leith ?

Puis, tout à coup inquiète, elle ajouta :

— J'ai peur, David.

Leith s'était contenté de s'incliner sans un mot et avait esquissé un mouvement pour se retirer. Il l'avait retenu.

— Non, Leith, restez.

Tout en le maudissant et le rendant responsable de ce qui lui arrivait, il avait tenu à achever son amère victoire, après s'être engagé ainsi malgré lui :

— Je dois partir après-demain dans un centre spécial d'entraînement...

Le regard admiratif de Jane l'avait payé dans l'instant de cette impulsion dont les conséquences maintenant l'effrayaient. Leith n'existait plus pour elle. Le sentiment de sa supériorité sur celui-ci lui avait fait chaud au cœur.

Un mot de Leith avait suffi pour le dépouiller du prestige qu'il venait de revêtir :

— Nous serons du même voyage, Sir ; je rejoins aussi le commando après-demain, en vue d'une « très importante mission », dirait Paterson. Je suppose que c'est la même.

Leith lui avait volé son succès, sans phrases. Il avait alors cherché le moyen de reculer, de rester près de Jane puisque Leith partait. Il aurait pu se faire un allié de Callander peut-être, mais Leith triompherait de son refus, et Jane le mépriserait sans doute. Acculé, il avait été téléphoner au général Paterson, et maintenant il était là, à attendre la nuit, terré comme une bête avec sa peur et la présence hostile de Leith qui ne lui parlait plus depuis Benghazi.

Leith demeurait distant et sombre malgré ses

avances. Il avait beau essayer d'agir comme si rien ne s'était passé, comme si sa conduite avait été parfaitement naturelle, simulant la joie, l'aisance, la camaraderie, Leith au contraire, sous tous les prétextes, l'abandonnait à son isolement.

Il eut un mouvement de révolte contre son second qui eût dû être le seul à ne pas avoir été témoin de sa faiblesse. Pourtant, avec le recul des cinq derniers jours, à certains moments, il n'était plus sûr que Leith ait vraiment pu interpréter son attitude comme celle d'un homme affolé. Pour la vingtième fois peut-être, il reconstituait la scène afin d'y trouver la certitude que tout s'était passé naturellement.

La sentinelle se tenait devant lui, immobile. Il revoyait ce profil tendu, aux aguets, les mains crispées sur la mitraillette, prête à libérer sa charge mortelle, l'homme solidement campé sur des jambes de bronze, nerveux, la chemise ouverte, deux grenades accrochées à la ceinture de son short. Une force immobile qui l'effrayait. Il avait pris son poignard sous sa djellaba, sans parvenir à assurer l'acier dur dans sa main. Celui-ci ne lui apportait ni force, ni confiance, au contraire, une peur plus affreuse encore. Il ne se décidait pas. Une mitraillette, un automatique auraient tout simplifié. Il restait figé, luttant contre sa peur. Puis un frôlement l'avait fait tressaillir. C'était Leith qui rampait près de lui et le regardait curieusement. Il avait fait un effort pour tenter un geste, s'arracher à sa peur.

L'insulte d'un demi-sourire de Leith n'était pas parvenue à le libérer de sa paralysie. Peut-être avait-il cru le voir sourire, ce pouvait être un jeu d'ombre . . . Il haletait, puis Leith passait devant lui, lentement. Ce mouvement lui avait semblé durer une éternité. Alors, il s'était affaissé, des larmes glissaient sur ses joues, sa main errait sur le poignard, comme sur un objet dépouillé de toute signification ; il se surprit, avec son ongle, à jouer sur les stries de la poignée . . . La magie de l'arme n'existait plus. Cependant, combien de fois ne l'avait-il pas serrée dans sa main, répétant en secret le geste de mort ? Chaque fois, il éprouvait la même certitude de la fragilité de son courage et de sa force . . . Dans un éclair de conscience, quelquefois, il savait qu'il paradait à ses propres yeux. La peur de ce geste à accomplir venait de très loin. Il n'aurait pas dû accepter de rentrer dans les commandos où l'on fait l'apprentissage de l'arme blanche, lui qui n'avait jamais porté un couteau, qui ne pouvait en voir, de pointus surtout. Il avait fait une scène affreuse, quelques jours après son mariage, quand Jane avait dressé la table avec des couteaux venus des Indes, effilés comme des poignards. Toute sa vie, aujourd'hui, lui semblait définitivement liée à cette peur abominable de son enfance.

Son père, dans une crise de paludisme, s'était dressé un jour devant sa mère, un poignard à la main, arraché brutalement d'une panoplie. Il l'avait poursuivie à travers la maison, en proie à une fureur démentielle. L'enfant, accroché aux jupes de sa mère, hurlait de terreur. L'arme brillante prenait des proportions immenses au-dessus de sa tête. Tout l'univers n'était plus qu'un poignard prêt à s'abattre et à le déchirer. Pendant des mois, chaque nuit, son corps fut menacé par cette lame, dans d'atroces visions de chair qu'on découpe. Elles l'avaient à nouveau visité au moment décisif, le paralysant. Il s'était vu, tel son père qu'il haïssait, dans la même attitude, et l'idée que, de sa main, il allait fouiller dans la chair d'un corps l'avait révulsé.

Puis Leith était revenu vers lui. Aucune trace d'ironie ne subsistait dans son regard, simplement une lassitude tragique. Alors, il s'était ressaisi :

— Qu'est-ce qui vous a pris ? Je m'apprêtais . . .

Le regard de Leith l'avait empêché de poursuivre.

— Venez plutôt m'aider.

Ils avaient tiré le corps à l'écart sous la haie odorante de lauriers-roses, sans se regarder. Le tremblement des mains de Leith, la sueur qui inondait son visage, l'avaient payé de sa propre peur. Le soldat de l'Afrika Korps, à peine vingt ans, un visage déjà buriné par le soleil, d'une beauté antique, froide et dure, gisait inoffensif. D'un geste de la main, Leith avait un instant caressé le beau visage bronzé. Quand il avait voulu pousser du pied le cadavre, plus avant, sous les lauriers, le regard chargé de fureur de Leith l'avait effrayé, puis, dans un haussement d'épaules, il avait murmuré :

— Alors, la voie est libre, qu'attendez-vous ?

Leith n'avait peut-être agi que par impatience sans se rendre compte de sa peur. Depuis cinq jours et cinq nuits, il tentait de s'en persuader. Cette nuit, il s'en assurerait.

Il entendit un frôlement entre les pierres voisines, puis une silhouette se profila au-dessus de lui . . . Leith ajustait son burnous.

— Nous pouvons peut-être nous mettre en route ?

Brand se leva et, dans la nuit naissante, des silhouettes silencieuses jaillirent du sable, des rochers. Le capitaine donna les ordres d'une voix assurée et bientôt la colonne se forma.

— Vérifiez si vous n'abandonnez rien sur le terrain. Faites disparaître les traces de vos emplacements, enterrez vos cartons ou boîtes de conserves vides. Au lieu de marcher en serre-file, Leith, accompagnez-moi.

Les derniers rougeoiements du couchant s'éteignaient dans des mauves et des bleus irréels. Une sourde inquiétude laissait les hommes silencieux.

Brand se demandait s'il avouerait à Leith les raisons de sa peur. S'il se libérerait de ce souvenir que son orgueil ne lui avait pas même permis de révéler à Jane. Il comprendrait peut-être. Mais c'était avouer une peur que l'autre n'avait peut-être pas décelée. Quelle autorité aurait-il ensuite sur Leith ? Avouer tout, c'était aussi livrer cette tare qu'il tenait secrète depuis toujours. Ne parlait-il pas de ce père détesté comme d'une sorte de seigneur, un officier brillant de l'armée des Indes, mort trop jeune alors que le plus grand avenir s'ouvrait devant lui. Mort des suites lointaines d'une blessure, disait-il. Il savait cependant que la blessure n'y était pour rien, mais l'alcool et une maladie mal soignée, gagnée auprès des prostituées de Bénarès. Cela lui avait coûté son avancement et une mutation sans gloire dans un dépôt de transit. Il n'était pas possible d'avouer à Leith qu'il avait eu un tel père.

Ils marchaient maintenant en silence, côte à côte ; sous leurs djellabas, les sacoches battaient leurs flancs, leur donnant l'allure de marchands obèses. Ils portaient sur le dos un sac en peau de chèvre et une guériba en bandoulière. La crosse d'une mitraillette tendait l'étoffe du burnous sur la hanche.

— Leith, je voudrais vous poser une question. Pourquoi m'avez-vous devancé à Benghazi au moment où j'allais frapper la sentinelle ? Etait-ce parce que vous ne pouviez plus supporter cette attente avant l'action ? Si vous l'aviez manquée, vous rendez-vous compte de votre responsabilité dans l'échec que cela eût entraîné ?

Leith marqua un temps, stupéfait de la question de Brand, qui le révélait sous un jour nouveau et il se prit à le mépriser davantage. N'avait-il pas eu, lui aussi, à vaincre une angoisse terrible, encore que derrière elle il y avait, plus puissant, son désir de connaître une émotion nouvelle, d'aller jusqu'au bout d'un acte dont l'importance était pour lui capitale et pour sa vie, peut-être, décisive ? Ses bras et sa poitrine gardaient encore la mesure affreuse du poids de ce corps soudain inerte, s'affaissant sous le coup précis et mortel. Et cet imbécile allait placer cela sur son misérable terrain étriqué de capitaine responsable ! Responsable de quoi ? Pas de son avenir à lui, Leith, en tout cas.

— Vous connaissez la Sourate du Voyage nocturne, Brand ?

L'autre resta silencieux, interdit ; Leith continua lentement :

— « Celui qui erre, erre seulement pour lui-même. Et quiconque est chargé ne portera pas la charge d'un autre. »

— Que voulez-vous dire ?

— Que je suis assez grand pour supporter mes propres responsabilités et sans doute quelque chose de plus qui n'a aucun rapport avec la mission de destruction dont nous étions chargés.

Brand hésita sur le sens qu'il devait donner à la phrase de Leith. Il n'osa pas insister et cependant il ne put s'empêcher de dire d'un ton de mépris hargneux :

— Vous avez sans doute pensé que j'avais peur ?

Il essayait dans la clarté lunaire de guetter une réaction. Le lieutenant sourit.

— J'avais depuis longtemps compris que

c'était la question que vous désiriez me poser. Rassurez-vous, moi aussi, j'avais peur. Et il appuya sur « aussi » en marquant un temps d'arrêt . . . Mais ce n'était pas la même peur. Moi, c'était celle pour après, pour ce que je pourrais devenir après. Celui qui tue à distance n'appréhende pas l'horreur de son acte ; au poignard, c'est déjà d'un courage plus monstrueux, mais, voyez-vous, pour connaître toute l'étendue de son courage comme l'ampleur de son crime, il faut tuer avec ses mains. Vous avez remarqué cette pudeur chrétienne qui condamne les nettoyeurs de tranchée, interdit d'achever l'agonisant, mais qui, dans sa lâcheté, exalte le combat du tireur d'élite. Porter la mort avec ses propres mains, c'est cela être un soldat courageux, avant d'être un homme détruit. Vous, Brand, vous pouvez tuer à distance afin d'être un « héros ». C'est du courage de chasseur de lièvres. N'ayant pas celui du soldat, vous ne risquez pas de connaître l'enfer. L'enfer au nom du devoir.

Il éclata d'un rire sans joie en toisant Brand avec mépris.

— Je n'avais pas peur, Leith.

— Alors pourquoi avez-vous donné ce coup de pied à ce malheureux cadavre ?

— Je n'en sais rien. Que de sentiment vous faites !

— C'est qu'à moi, ce mort de vingt ans m'a donné quelque chose. Voulez-vous maintenant me laisser en paix ? Votre peur ne m'intéresse pas.

— Vous rendrez compte de votre insolence. Je serai obligé de la mentionner dans mon rapport.

Leith ne répondit pas. Il allongea le pas pour gagner la tête de la colonne. D'une voix hystérique, Brand le rappela.

— Je vous ai commandé de rester près de moi.

Leith ne ralentit pas son allure. Quand il arriva en tête de la file, le guide senoussi, Mokrane, se tourna vers lui.

— Il nous faut aller davantage au nord. Sinon, nous tomberons dans la faille de l'oued M'Sous que nous ne franchirons pas et nous serons rejetés vers les marais du sud.

— Bien, Mokrane, allons-y.

Brand arriva, essoufflé.

— Que signifie ce changement de direction, Leith ?

— Mokrane a raison.

— J'ai ordonné de piquer directement à l'est, sur l'oued.

Il écumait de fureur. Le bédouin s'arrêta et dit :

— Nous perdrons du temps, Sir.

— Qui commande ?

— Vous, Sir.

— Alors, en route.

L'indigène restait impassible comme s'il n'avait pas entendu. Brand s'avança jusqu'à le toucher et leva la main pour le gifler. Leith arrêta son geste.

— Obéis, Mokrane, c'est le capitaine qui commande. De toute façon, je ne crois pas que cela ait une grande importance.

Ils reprirent leur marche.

— Ces indigènes se croient tout permis. Peut-être même voulait-il trahir. C'est votre exemple, Leith. Mais je le ferai pendre et d'autres avec ...

Il suivit en grommelant : « Je les ferai pendre ... Désobéissance. Ai des ordres. Vous l'apprendrez ... Maître après Dieu ... Je peux tout. » Sa colère s'éteignit avec la fatigue de la marche qui devenait de plus en plus pénible.

Barney, l'infirmier du commando, dit tranquillement à son voisin, en se frappant sur le crâne.

— Ça commence toujours comme ça.

3

Lorsque Callander entra ce soir-là au club, il n'était question que de l' « Operation Footing ». Le général accueillait les félicitations de ses collègues avec un air faussement détaché.

— Le choix des exécutants, tout est là, disait-il.

— Il est vrai que le capitaine Brand était hautement qualifié.

— Je ferai une proposition pour le D. S. O. Il l'a bien mérité.

Callander rectifia un peu sa tenue et s'avança de son pas d'ours vers le groupe d'officiers et de quelques W. A. C. S. qui entourait Jane Brand.

— Je voulais, Madame, vous faire part de la bonne nouvelle ; je vois que j'ai été devancé, dit-il.

— Major Callander, le raid a réussi, bien sûr, mais on ne sait rien. Y a-t-il des blessés, des prisonniers, des morts ? Et, depuis cinq jours, il a pu se passer beaucoup de choses. Au fond, on ignore tout de David, de Leith et des autres...

— Ne vous affolez pas, Madame, le plus difficile est fait. Me permettez-vous de vous inviter à ma table ?

Ils allèrent s'asseoir en silence. Callander se sentait très maladroit. Elle le déroutait. Les rares occasions où il l'avait rencontrée ne lui avaient pas permis de se faire une idée de cette femme qui semblait par moments si supérieure à son mari.

Elle avait de l'aisance, beaucoup d'humour, une vitalité éclatante, un regard aigu dès qu'elle était seule. La présence de son mari semblait l'éteindre.

« L'aveuglement de l'amour », pensa Callander. Brand avait de l'allure, un style très mondain. Ses silences passaient pour la marque d'un caractère profondément réfléchi, et ses connaissances militaires pour être vastes. En somme, rien d'original. Il se trouva injuste vis-à-vis d'elle.

Callander fut sur le point de s'en aller. Jane le regardait, amusée.

— Major, la compagnie des femmes ne semble pas vous charmer, dit-elle en riant.

Il lui rendit son sourire.

— Madame, n'accablez pas le vieux maladroit que je suis.

Une sorte d'accord s'établit entre eux dès cet instant.

— Vous m'avez téléphoné, major, pour avoir un entretien avec moi.

— Oui, Madame, mais j'aimerais que ce soit ailleurs.

Il avait repris toute sa distance. « Personne à prévenir en cas de décès : Mrs. Jane Brand », la phrase s'imposait à nouveau à l'esprit du major, trop précise, trop lourde de mystère . . .

— Quand voulez-vous ?

Il fut sur le point de se dérober devant cette femme qui le troublait. Pourtant il dit, d'un ton impersonnel :

— Ce soir, si cela vous convient, après le dîner.

— Je vous attendrai chez moi.

Callander était mal à son aise. Il s'était changé pour aller voir Jane Brand. Souliers bas, short repassé, bas et veste blanche sur laquelle tranchaient les barrettes colorées de ses décorations. Il ressemblait à un vieux boy-scout athlétique et emprunté. Le résultat avait été un mouvement de surprise de Jane en le voyant si cérémonieux. Il avait eu toutes les peines du monde à grimacer un sourire pour la rassurer. Son affaire s'annonçait mal.

— J'ai cru que vous m'apportiez de mauvaises nouvelles de David.

— Rassurez-vous, nous ne savons rien de plus que ce que je vous ai communiqué.

Elle l'avait fait entrer dans une pièce impersonnelle, mélange de meubles bon marché des chambres d'hôtel et de bric-à-brac exotique de souk. De plus en plus mal à son aise, il sentait sa démarche ridicule, insensée même, en observant la jeune femme affairée à préparer un plateau de boissons.

— Alors, major Callander, qu'est-ce qui me vaut le plaisir de cette visite ?

Il fut pris de court et biaisa maladroitement :

— Le capitaine vous avait-il fait part de sa mission ?

Elle eut un temps d'hésitation.

— Vous le savez, David est trop discipliné pour communiquer, même à sa femme, un secret militaire, dit-elle en souriant.

Callander sut qu'elle mentait et jugea que la partie serait plus difficile qu'il n'avait pensé en la voyant si frêle, les yeux mangés par une pupille dilatée qui les faisait paraître presque noirs. Elle attendait qu'il continuât, devinant dans sa gaucherie une sorte de menace.

— Madame, je suis inquiet pour l'avenir de ce commando et je suis venu afin de savoir si mes craintes sont fondées ou non.

Elle ne manifesta aucune surprise, ce qui dérouta Callander qui s'attendait à des questions. Il poursuivit :

— Quand nous avons proposé cette mission au capitaine, il a demandé vingt-quatre heures pour réfléchir. Or, deux heures plus tard, il téléphonait pour l'accepter. C'était le 12 juillet au soir. Vous vous souvenez ?

Jane ne répondit pas aussitôt. Il y eut un long silence entre eux. Elle se revit assise au club, avec David et Leith, ce soir-là. Puis David était parti, convoqué par le Q. G. Leith avait souri de son émoi et s'était ingénié à la distraire.

— David aime son métier, Leith, ce n'est pas bien de toujours voir son application sous un jour ridicule.

— Jane, maintenant rien n'est plus ridicule, parce que tout l'est devenu, mais on ne s'en rend plus compte. Rappelez-vous, Jane. M'auriez-vous imaginé autrefois faisant la guerre ? — Et, plus grave, il avait ajouté : Pourtant, je la fais, je veux la faire. Il le faut. Mais croyez bien que pour moi, ce n'est pas par devoir. C'est bon pour les autres. Je n'ai pas changé. Mes raisons ... Vous devez les connaître.

Elle répondit machinalement : « Oui », à Callander.

— Je suppose que vous l'avez vu, Madame, avant qu'il prenne si rapidement sa décision.

Mais elle ne l'écoutait déjà plus ; cette soirée, tout à coup, lui apparaissait chargée d'un mystère qui devenait redoutable.

— Heureusement qu'ils la font tous par devoir, Jane. Sans cela, où irions-nous ? ... Il n'y a pas d'exemple de peuples qui ne l'aient faite par devoir ... et bon droit. C'est seulement le jour où l'on ne pourra plus la faire pour le droit que la paix recouvrira le monde et plongera les historiens comme moi dans un innommable ennui, une inutilité sans espoir ...

Il avait dit cela en baissant la voix, l'air

sombre tout à coup. Elle avait été irritée par son attitude.

Il était bien le même qu'autrefois. Mais une question s'était posée à elle. Pourquoi avait-il voulu combattre dans les Rangers quand il pouvait rester au Bureau d'Information du Colonial Office ? Elle n'avait pas osé le questionner. Il y avait maintenant entre eux des moments où ils étaient séparés par une distance telle qu'elle ne pouvait plus le comprendre, lui semblait-il.

— Si David vous entendait . . .

— Je sais, le capitaine est un homme qui ne refuse jamais son devoir.

Callander, devant son silence, réitéra sa question sous une autre forme.

— Est-ce vous, Madame, qui avez permis à votre mari de se décider si rapidement ? Veuillez excuser la brutalité de ma question.

— Non, dit-elle. Quand il est revenu au club, où je me trouvais en compagnie du lieutenant Leith, il nous a dit qu'il venait d'accepter une importante mission du général Paterson.

Callander fut surpris.

— Voyez-vous, Madame, je m'alarme peut-être à tort, mais si je cherche à percer le mystère de la décision du capitaine — il s'arrêta brusquement pour appuyer sur les mots, — c'est qu'il n'est pas bon qu'un commandement aussi redoutable soit accepté pour des raisons qui n'ont rien à voir avec la conscience du devoir à accomplir. A quelle heure vous a-t-il fait part de son acceptation ?

— En entrant, de retour du Q. G. Il était 19 h. 30 peut-être.

— Leith était présent, me dites-vous ?

— Oui.

— Et qu'a dit Leith ?

— Je crois qu'il a dit : « Je suppose que nous serons du même voyage, car, hier, j'ai moi aussi été appelé par le général Paterson pour participer à une importante mission. » Mais quel intérêt tout cela a-t-il, major ?

Callander ne répondit pas à la question. Il commençait à pressentir les mobiles de Brand : la présence de Leith peut-être, la vanité, qui sait : la jalousie ? . . .

— Le capitaine s'est absenté ensuite dans la soirée pour téléphoner, n'est-ce pas ?

— Oui, dit-elle hésitante, mais quel rapport ? . . .

Déjà cependant elle savait. Elle eut le sentiment de sa responsabilité dans la décision de David. Pourtant il ignorait qu'elle avait autrefois rencontré « Bunny ». Non, ce n'était pas possible que David eût accepté autrement que par devoir ou discipline. Lui, toujours si passionné par son métier, si avide de servir. Oui, il avait téléphoné dans la soirée et qu'est-ce que cela signifiait ? Elle le demanda à Callander.

— C'était son acceptation, Madame. Et nous n'attendions sa réponse que le lendemain. Pour ma part, sa demande d'un délai de réflexion équivalait à un refus.

Il lui avait donc menti ainsi qu'à Leith. Ils

devinaient tous deux la cause de cette décision brusquée. Ce n'était pas possible ! . . . Callander venait d'ouvrir un abîme devant elle. Elle pensa qu'elle avait trahi David en taisant ses anciennes relations avec Leith. Qu'avait-il pu imaginer pour se jeter dans cette aventure, à cause d'elle ?

— Ce n'est pas possible, dit-elle à mi-voix, et les larmes lui vinrent aux yeux.

Callander ne savait plus que faire. Il grogna des excuses et fut sur le point de se lever, mais il se souvint qu'il n'avait pas terminé.

— Ne pleurez pas, Madame. Brand avait peut-être déjà pris sa décision sur le chemin du retour.

Elle se calma. Un sourd désespoir montait en elle, une colère aussi contre son mari. Car ainsi, il avait voulu refuser la mission qu'on lui proposait ! Et pourquoi ? La peur ? Alors, c'était cela la cause de sa rage, la nuit suivante, quand il lui avait fait une scène . . .

— Tu m'envoies à la mort gaiement, me semble-t-il ?

— David, comment peux-tu penser pareille chose ? Je te croyais heureux de te savoir distingué parmi tant d'autres ? . . .

— C'est une mission sans espoir.

Et il s'était ingénié à la torturer.

— Je l'ai acceptée pour toi, qui veux toujours me voir le premier partout. C'est ton orgueil qui va me tuer. Car je serai tué, nous y resterons tous et Leith aussi, Leith que tu admires tant. Je t'ai vue hier soir, tu le dévorais des yeux, tu riais de ses mots, comme jamais tu n'as ri avec moi. Si tu avais vu ton visage ! C'était pour moi un supplice ... Mais Leith ne reviendra pas non plus.

Toute la nuit, ce n'avaient été que plaintes et insultes déguisées. Elle les avait mises sur le compte de la fatigue, du paludisme.

Mais ce n'était pas cela, c'était la peur. Elle eut pitié soudain de sa faiblesse, pressentant que sa raideur n'avait toujours été que le moyen de la cacher.

A la fin de la nuit, il avait pleuré dans ses bras.

Quand elle se fut ressaisie, Callander dit :

— Excusez-moi, Madame, pour la question que je vais vous poser. Vous étiez très liée avec Leith ? Enfin, c'était un ami ? balbutia-t-il, se rendant compte de son insolence.

— Major Callander, en quoi cela vous concerne-t-il ?

Callander se leva.

— C'est que, Madame, votre nom figure sur ce que j'appellerai son testament. Vous êtes la personne que je dois prévenir en cas de mort ou de disparition.

Elle fut désemparée. Callander prit son silence pour un aveu.

— Vous comprenez, Madame, mes alarmes, tout comme je comprends votre désespoir, insista-t-il lourdement.

Elle ne l'écoutait pas et se mit à parler dans un état d'abandon qui le mit mal à l'aise.

— Leith et moi, nous nous connaissons depuis plus de quinze ans. Nous suivions les mêmes cours. Je l'aimais beaucoup. Lui, je crois, ne s'intéressait qu'aux idées, aux spéculations philosophiques. La dernière fois que je le rencontrai, il revenait de vacances en Egypte. Il était fasciné par ce qu'il avait vu et ne se lassait pas de me répéter : trois civilisations successives de plus de mille ans chacune, écroulées, détruites, une autre qui voudrait renaître. Pourquoi ? Rien n'a de sens dans cette vie.

Elle parlait comme dans un rêve et Callander lisait le désespoir, le regret sur son visage défait.

— Il a voulu calculer combien il y avait eu de milliards d'hommes depuis que la terre existe. « Je ne suis qu'un individu parmi ces milliards, et qui disparaîtra comme eux. Quelle plaisanterie ! Alors, vivre, manger, boire, dormir, faire l'amour, et oublier en grignotant sa petite portion de vie au jour le jour ? . . . » En me regardant, il répétait : « Boire, manger, faire l'amour . . . Ce que vous attendez toutes, n'est-ce pas, l'amour ? Souvenez-vous de cet après-midi d'été . . . Je vous ai déçue, n'est-ce pas ? »

Elle s'arrêta brusquement, prenant conscience de la vanité de ses confidences, puis, après un temps, elle poursuivit doucement :

— C'est ainsi qu'il est parti et je ne l'ai revu qu'à Ismaïlia, il y a trois mois. Il n'avait pas changé. Il savait être toujours aussi charmant, puis s'évadait tout à coup dans ses idées, ses paradoxes. Il continuait à détruire ou à chercher peut-être... C'est trop affreux qu'il ait pensé à moi... Me faire prévenir... Pauvre « Bunny » ! Ignorez-vous qu'il était orphelin ?

Callander hocha la tête, ne sachant quelle contenance prendre devant cette femme qui se livrait à lui. Il se sentait un peu honteux et déçu de voir son explication lui échapper.

Alors, il tenta une dernière question :

— Le capitaine savait-il que vous aviez connu Leith ?

— Non, dit-elle... J'ignore pourquoi. Je n'ai pas pu le lui dire... C'était comme si je sentais qu'il ne pouvait comprendre, mais aussi comme si je ne voulais pas livrer ces souvenirs, de peur de perdre ce qu'ils représentaient qui m'était toujours cher.

— Je vois, dit Callander machinalement. Alors, c'est trop stupide.

Quand il se retrouva seul, il se dirigea vers le club, s'installa dans un coin et, dégoûté de lui, commanda du whisky, effrayé pour l'avenir du commando entre les mains d'un peureux qui, il le savait à présent, en avait accepté le commandement par jalousie aveugle et vanité.

Il pensa à ce pouvoir exorbitant dont Brand était investi. « *Toutes les décisions, si cruelles qu'elles apparaissent... Vous êtes, en particulier, délivré de toute obligation de secours aux blessés, dès l'instant où elle entraverait votre marche.* » . . . Quelque chose comme le droit de vie et de mort . . .

L'ivresse ne vint pas, malgré ses efforts. Il se leva, très droit, un peu raide, et dit, en passant près d'une table, à des officiers étonnés :

— Vous voyez, Messieurs, un Ecossais que le whisky n'a pas réussi à saouler ce soir . . . C'est le signe d'une conscience trouble.

4

— Vous entendez ?

La voix de Brand jaillit un ton trop haut, portée par une grande houle de terreur qui le submergeait. Leith en reçut comme un coup qui détruisit sa joie : « Le soir donnait au désert un sourire de femme. » Son rêve fut balayé par cette peur animale, frémissante, à côté de lui. Il se souleva sur un coude pour scruter les dunes.

Brand se taisait maintenant, comme si son cri l'avait allégé. Le lent mouvement de Leith l'irrita. Confusément, il se rendit compte que les mots l'avaient trahi, qu'il n'avait pu dominer sa voix. Après un temps, il ajouta, en guise d'excuse, comme pour lui-même, mais assez haut pour que Leith l'entendît :

— J'ai la gorge sèche.

Leith essaya de déchiffrer le visage de Brand. « Il attend que je parle pour le rassurer », pensa-t-il.

Le bruit régulier se rapprochait. On entendait maintenant distinctement, venant de l'ouest, le ronflement de plusieurs moteurs qui semblaient peiner. Ils ébranlaient l'univers minéral et figé.

Derrière lui, Leith devina les mouvements des hommes, des froissements d'étoffe. Un lent glissement et le corps chaud de Mokrane s'appuya contre lui. Il tourna la tête : le visage confiant et serein l'interrogeait. Il lui sourit et fut pris de pitié pour la solitude de Brand en lutte avec son angoisse, attendant une parole.

— Allah voit tout. Il sait, dit Mokrane, comme s'il avait deviné.

— Silence !

Le glapissement du capitaine secoua les hommes.

Mokrane se serra un peu plus contre Leith qui sentit le corps dur sous la djellaba. Il jeta un regard de biais au Bédouin.

Une immense reconnaissance l'envahit, la chaleur de l'homme fraternel près de lui le bouleversa. Il découvrait un nouvel univers et se trouva protégé par cette chaleur ignorée, vivante, contre sa hanche. Quelque chose lui échappait, le rendait humble. Il avait envie de s'abandonner à sa découverte : « Et si c'était cela, être un homme, dépourvu de problème, si c'était là que gisait la liberté : vivre dans l'instant . . . homme, femme . . . » Femme. Il pensa à Jane . . . C'était une démission. Il s'écarta légèrement de Mokrane. L'Arabe tourna la tête :

— Pourquoi es-tu toujours comme une pierre noire, lisse et brillante ?

Leith ne répondit pas. Le grondement saccadé s'atténuait, comme étouffé soudain. Puis, ce fut le silence. Mokrane reprit :

— Ils s'arrêtent. Ils sont à six cents mètres à l'abri de la dune, ils vont camper.

Brand se rapprocha pour entendre.

— Combien pensez-vous qu'il y ait de véhicules, Leith ?

— Trois ou quatre.

— Une section de combat ?

— Sans doute.

— Nous ne pouvons pas bouger.

Leith ne sut pas si c'était une question ou une constatation et ne répondit pas. Brand dut se résoudre à l'interroger, presque humblement.

— Pensez-vous que nous puissions partir ?

— Et vous ?

— Pourquoi n'attaquerions-nous pas ?

Leith s'ingéniait à lui répondre par des questions pour se venger de son hypocrisie de la soirée.

— Vous y pensez ?

— Quand ils dormiront . . . Ce serait un beau coup.

— M. C. ou D. S. O., répondit laconiquement Leith — ou bien le conseil de guerre, si un seul en réchappe et donne l'alerte.

— Vous avez raison, il faut décrocher.

Brand sembla soulagé ; il s'apprêtait à donner des ordres quand Leith murmura :

— Alors, ils nous rattraperont demain.

La lumière d'un phare jaune balaya les crêtes, torturant les formes, créant des abîmes d'ombre.

Brand eût voulu faire taire cette voix qui jetait en lui tous les doutes avec une sorte de négligence souriante et insultante.

Le phare s'éteignit. Les moteurs s'étaient tus. Le silence vertigineux du désert reprit possession de la terre. Il se trouva plus seul. Un instant, il ne distingua que des ronds jaunes dansant dans l'obscurité. Où qu'il portât son regard, les cercles jaunes, mouvants, étaient là, comme une menace, une énigme à résoudre.

Il eut envie de crier : « Je n'en peux plus », de ne plus bouger, de s'allonger sur le dos, dormir et ne plus se réveiller avant la fin de ce cauchemar.

La fatigue s'abattit d'un coup sur lui. Il ressentit dans ses poignets, ses chevilles, une douleur étrange . . . Il voulut serrer les poings mais ses doigts se fermèrent sans force, comme s'ils eussent été de coton. Il tenta d'empoigner la crosse de son arme : plus il voulait l'étreindre, moins ses doigts, lui semblait-il, lui obéissaient.

Leith fut surpris par ce silence. Il eut un sourire triste et dit à Mokrane :

— Tu peux, sans te faire repérer, essayer de voir combien ils sont ?

Le chuchotement atteignit Brand au bord de la crise nerveuse.

— Leith, envoyez quelqu'un voir exactement à qui nous avons affaire.

— C'est fait, Sir.

C'était la première fois depuis Ismaïlia que Leith l'appelait « Sir ». Brand eut la sensation que Leith se moquait de lui et se rapprocha :

— Epargnez-moi, Leith, j'ai les nerfs à bout.

Il était malheureux, torturé. Leith ne répondit pas.

— Pourquoi m'appeler Sir ? . . . Au Caire, nous étions des amis ; Jane et moi, nous vous aimions beaucoup.

— Oui, dit Leith, mais la guerre est une chose, les relations mondaines une autre. Il ajouta : Jane doit être inquiète à notre sujet.

Machinalement, Brand répéta :

— Notre sujet . . .

Les mots lui firent l'effet d'une provocation. Leith avait bien appuyé sur le « notre ». Il s'approcha un peu plus.

— Qu'avez-vous voulu dire par « notre sujet » ?

— Comment ?

Leith sourit et se tourna vers lui :

— Je comprends maintenant les raisons de votre attitude depuis le début de cette aventure. Quelles dispositions dois-je prendre, Sir ?

— Je donnerai les ordres en temps voulu.

Le silence était retombé sur le djebel, oppressant de son mystère les hommes aux aguets.

Depuis qu'ils étaient livrés à eux-mêmes, largués, par une belle nuit de lune, de deux Dakotas, sur les bords de l'Oued El Mra, Brand n'avait pas réussi à percer le mystère que représentait pour lui son second. A plusieurs reprises, Brand avait tenté de parler de Jane, alors Leith souriait.

— Ne mélangeons pas l'amour à la guerre, Brand, cela ne vaut rien, ni pour la guerre, ni pour l'amour.

Une fois seulement, Leith avait laissé échapper une phrase que Brand depuis se répétait :

— Contrairement à ce qu'elle pense, Jane n'est pas un être fait pour le « guerrier »... comme vous.

Et il avait souri de son sourire lointain, un peu ironique.

— Le repos du guerrier. Vous connaissez le poème de Shelley : « Le retour du guerrier mort chez lui »... Jane, elle, pleurera et ne mourra pas. Elle est faite pour vivre, comprendre, c'est un être avide de connaissances... Elle s'est donné des cadres parce qu'elle a peur des forces de vie, d'amour qui sont en elle, de très bons cadres. — Puis, comme s'il s'était laissé aller à trop parler, Leith avait coupé court. — Il est possible que je me trompe, ce n'est peut-être qu'une attitude de femme bien née, qui s'adapte pour ne point décevoir celui auquel elle s'adresse...

Brand était resté silencieux. Ce n'était que quelques heures plus tard, comme s'il avait poursuivi son monologue, que Leith avait dit :

— En tout cas, Jane nage dans l'absolu, quel

que soit son choix... Le guerrier doit être un héros...; le savant, ou le poète : des génies...

Brand s'était senti malheureux. Leith venait d'exprimer ce qu'il savait depuis qu'il la connaissait. Et toute sa vie était tendue pour atteindre cette image du héros qu'elle voyait en lui. Depuis leur rencontre, elle avait été sa force, lui permettant de dominer ses craintes dans une lutte épuisante dont elle était sortie victorieuse plus que lui-même et toujours ignorante de son pouvoir, jusqu'à cette nuit terrible de Benghazi.

Il se rendait compte que, jusqu'alors, il n'avait eu que peu de combats sérieux à soutenir contre lui-même. Ce n'étaient que des choix sans risques. Pourtant, au fond, sa volonté de s'élever et de vaincre n'était-elle pas le signe d'une force latente, seulement paralysée par quelque obscure puissance qu'il ignorait, et contre laquelle il devait faire appel à son orgueil et à sa vanité ?...

En entrant à Sandhurst, il avait cru un instant à son accomplissement. Il avait dû vaincre tant de choses déjà. « Nous espérons, élève-officier Brand, que vous serez digne de la confiance qui vous a été faite malgré nos craintes, dont vous n'ignorez pas les raisons. » Ç'avait été la seule allusion au drame paternel, mais elle avait pesé lourd chaque jour de sa vie, un corset de fer qui l'avait tenu droit, malgré lui, souvent...

Leith s'impatientait dans l'attente du retour

de Mokrane. Une étrange inquiétude, dont l'Arabe était le cœur, le remuait et lui causait un émoi inconnu, une sorte de faiblesse. Cela avait commencé à Ismaïlia. Au camp d'entraînement, le guide senoussi s'était attaché à lui insensiblement. Ne l'avait-il pas attendu une nuit pour lui remettre des fleurs ? Ce soir-là, Leith était sorti. On fêtait l'anniversaire du jeune Barton et, en rentrant vers une heure du matin, il avait trouvé Mokrane assis près de sa tente avec une branche de mimosa.

— Je sais que tu les aimes, j'en ai trouvé pour toi.

Il lui avait mis la branche dans la main et s'était enfui, le laissant furieux. Par la suite, jamais il n'avait semblé se souvenir de cette scène devant Mokrane, mais une subtile complicité était née entre eux que l'Arabe entretenait et Leith s'était pris à ce jeu. Personne ne lui avait jamais donné le sentiment d'un tel attachement, d'une telle dévotion, et sa confusion n'en était que plus grande. Même Jane autrefois ne pouvait l'émouvoir qu'à de rares moments : quand elle ne tournait pas autour d'elle-même, de ses problèmes, mais quand elle subissait son ascendant, qu'elle apparaissait entièrement livrée à lui.

Cela remontait déjà à quinze ans en arrière. Elle voulait « se permettre » d'avoir des idées et il n'avait de cesse qu'il ne les eût détruites. Alors elle lui devenait précieuse.

Il se demanda si lors de leur rencontre au

Caire elle avait dit à Brand qu'ils se connaissaient déjà ? Peut-être ? Tout à l'heure, il avait réagi si brutalement que c'était possible. Brand devait alors imaginer le pire. Il se prit à le plaindre d'être si désarmé et si fragile. Pourquoi avait-il accepté ce commandement ? Pourquoi aussi bien lui, Leith, l'avait-il accepté ? Peut-être pour vivre cette minute de Benghazi ?

L'homme lui tournait le dos. Et pourquoi ne frapperait-on pas l'ennemi dans le dos ? Ce fut, un fragment de seconde, le motif de son hésitation et il l'avait vaincue, comme tout ce qu'on lui avait enseigné. Il se demanda si c'était plus facile ainsi. Pour les lâches, peut-être . . . Pas pour les forts. Il se surprit à être prêt à absoudre la peur de Brand. Puis il songea à son coup de pied au soldat mort.

Leur lâcheté n'était pas de même sorte.

— Trois voitures dont une auto-mitrailleuse.

La voix de Mokrane l'arracha à ses pensées.

— Dis-le au capitaine.

Quelques instants passèrent, puis Brand appela Leith.

— Nous allons continuer notre route, si nous pouvons atteindre l'oued, nous serons à l'abri ! . . . Vous voyez que j'avais raison, alors que vous vouliez obliquer vers le nord.

La marche reprit, tâtonnante. La peur accélérait l'allure des hommes. En tête, Mokrane guidait la troupe, Leith à ses côtés. Sur les derniers contreforts du Djebel el Akdar, l'avance devint bientôt plus pénible ; ils abordaient l'univers de sable dur et de pierres coupantes ; leurs pas se firent hésitants. Ils durent ralentir. Une heure passa quand, tout à coup, dans le lointain, le silence de la nuit fut déchiré par une succession de rafales d'armes automatiques.

— Leith, qu'est-ce que cela signifie ?

— Barton.

— Quel imbécile !

— Il devait être derrière nous. Il est tombé dans la nuit sur leur campement. Que voulez-vous qu'il fasse ?

— Comme nous.

— Mais ne vouliez-vous pas attaquer, il n'y a pas si longtemps ?

Brand se tut.

— Peut-être a-t-il été surpris ?

— Leith ?

— Oui.

— Il faut que nous l'aidions.

— Nous arriverons sans doute trop tard.

Les détonations s'espaçaient. Chacune d'elles était attendue comme la dernière. Aussi, chaque nouvelle explosion frappait-elle les nerfs des hommes comme si eux-mêmes eussent reçu le coup.

Ce fut Leith qui décida.

— Je vais prendre avec moi quelques hommes qui ne portent aucun document et aller voir ce qui se passe. Il faut continuer avec ceux qui restent et toute notre prise, Sir.

Brand ne fit pas d'objection et Leith en fut soulagé. Il partit rapidement avec une demi-douzaine d'hommes en éprouvant un sentiment de liberté qui lui était inconnu, une sorte de délivrance, à être seul, loin de Brand. Il n'arrivait pas tout à fait à expliquer cet acharnement qui le poussait à le réduire à sa juste valeur.

Ce n'était pas le souvenir de Jane qui le jetait contre Brand. Etait-ce le plaisir qu'il éprouvait à le disséquer, à lui arracher ses illusions sur lui-même, à le rendre aussi impuissant que lui, Leith, que rien ne soutenait plus que l'orgueil de vivre sans certitudes, de ces certitudes qui font la force de presque tous les hommes ?

Depuis que son poignard était entré si facilement dans la chair de la sentinelle, avec précision, la foudroyant en un éclair, il savait que c'en était fini de lui, de sa recherche. Il avait cru que cette mission était sa chance, la chance de l'oubli de lui-même dans l'action, mais sa tragique lucidité n'avait pas été prise en défaut, le coup avait été trop facile, l'adversaire si passif que cette mort n'avait plus aucun sens pour lui. Il n'avait détruit qu'un objet. Si le soldat avait été de face, lui permettant de capter son regard, alors peut-être aurait-il eu à vaincre tant de choses en lui-même, pour l'abattre, qu'il en serait sorti différent, qu'au moins une certitude, si désespérée qu'elle pût être, serait peut-être née en lui. Il aurait connu le prix de la mort d'un homme, celui-ci n'aurait plus été simplement une somme d'idées, de principes confus qu'il se plaisait à démolir, de certitudes qu'il s'ingéniait à abattre, de sentiments dont il cherchait toujours les origines dans la bassesse ou les viscères.

Il n'avait pas même éprouvé la peur physique, mais seulement l'angoisse de ce qu'il découvrirait en lui après. Il avait, un instant, envié celle de Brand, si animale, si pure. Etre Brand luimême, une bête affolée, un homme à l'état brut, sans pouvoir de raisonnement, ni de doute, vidé de toute idée, de tout principe ! Il se souvint d'avoir une fois déjà éprouvé ce soulagement devant l'homme.

C'était dans un « pub » de Soho. Deux marins discutaient dans une langue qu'il ignorait. Les mots ne pouvaient accaparer son esprit, alors il regardait leurs visages qui, dans la discussion, se métamorphosaient lentement. Les bouches se faisaient cruelles, s'élargissaient pour découvrir les incisives, les muscles maxillaires jouaient sous la peau et les yeux devenaient ceux d'animaux féroces, haineux. Puis, tout d'un coup, la transformation fut complète, il n'y eut plus d'hommes devant lui, les couteaux avaient jailli et deux fauves s'étaient rués l'un sur l'autre, magnifiques dans leur peur furieuse et destructrice de bêtes.

Quand il était rentré chez lui, le soir, dans son petit cottage de Jubilee Place, il s'était mis à boire, désespéré de sentir qu'il ne pouvait être un de ces deux marins, que quelque chose en lui l'arrêterait, un ricanement de sa raison toujours en éveil.

A quatre heures du matin, ivre, il criait à tue-tête :

— Je veux être simple, je veux être simple. Vivre. Qu'est-ce, vivre ?

Les locataires, au-dessus, avaient frappé. Il s'était tu et, ce faisant, dégrisé. Une seule idée s'était imposée à lui : « Je n'ai même pas pu me soustraire à la courtoisie. »

Il avait alors écrit une longue lettre à Jane. Quelle stupidité ! Quel ridicule !

Il marchait comme un somnambule, guidé par les coups de feu espacés. Trois explosions plus puissantes le firent sursauter, l'arrachèrent à ses souvenirs . . . Il était plus près qu'il ne pensait et s'arrêta pour rassembler ses hommes.

— Je crois que nous arrivons.

Une excitation s'emparait de lui. Il allait entrer dans le combat, cette fois. A Benghazi, il n'avait fait que trier dans les coffres éventrés des liasses de papiers, que jouer au cambrioleur pendant que les autres lançaient leurs grenades incendiaires, leurs bombes, dévastant les bureaux, tirant sur les gardes ou les officiers attardés, surpris travaillant encore sur leurs cartes.

Un phare s'alluma dans le lointain. Une rafale l'éteignit.

— Nous sommes trop à gauche. Il faut stopper les voitures, si ce n'est déjà fait ! . . .

Il ne comprenait pas pourquoi les Allemands n'avaient pas essayé de partir et de tendre leur piège plus loin. Au même instant, il entendit le crépitement d'une mitrailleuse, puis un moteur qui s'emballait. Il tenta de déceler la direction de marche. Une explosion ébranla l'air et une lueur dessina sur le ciel sombre les crêtes et les rochers devant lui. Il donna l'ordre d'avancer, en pensant que les Allemands ou Barton lui tireraient dessus s'ils l'apercevaient.

— Vous avez réussi un fameux coup, Barton.

— Mon cher, je n'avais pas le choix.

Le petit Barton riait. Son visage poupin que le soleil ne réussissait pas à faire bronzer, mais parsemait de taches de son, exprimait, au sortir du combat, une joie enfantine.

— Je n'avais qu'une frousse, c'était de ne pas atteindre la voiture-radio du premier coup.

— Pourquoi n'aviez-vous pas le choix ? demanda Leith.

— Qu'est-ce que vous auriez fait, vous, si vous étiez tombé sur un malheureux type en train de poser culotte, affligé d'une dysenterie terrible et qui s'apprête à braire comme un âne ? Je vous le demande. Je l'ai allongé d'une droite là.

Il prit le menton de Leith, lui posa convenablement la tête et, dans le feu de l'explication, lui plaça son droit. Leith esquiva en souriant.

— Il faut vous dire qu'il n'a pas voulu lâcher son pantalon. C'est terrible la décence, Leith. Voilà un gentleman qui est prisonnier pour ne pas avoir voulu montrer ses fesses afin de pouvoir se défendre. Je n'ai pas pu l'achever.

Je lui ai envoyé un coup de crosse sur le crâne. J'ai pris sa mitraillette qu'il avait posée près de lui. Et... il hésita à achever... et je m'en suis mis plein les doigts. Leith, mon vieux, c'est la sensation la plus désagréable que j'aie éprouvée depuis le début de la guerre.

— C'est un drôle d'exploit.

— Je ne l'ai pas fait exprès... et pas le temps de me laver les mains, il a fallu que j'aille jusqu'au bout ainsi.

— Je me demande ce que Brand va dire ?

Barton regarda Leith, surpris.

Ils marchaient au milieu des cadavres que les hommes rassemblaient ; quand Barton arriva près de quatre corps recouverts de burnous, il s'agenouilla, leur enleva tout ce qu'ils possédaient : leur collier avec leur plaque d'identité, leurs portefeuilles, leurs armes et se signa.

— Enterrez ceux-là vite, dit-il.

Leith était déçu d'être arrivé trop tard. Barton l'avait privé de quelque chose, lui semblait-il. Il eût voulu connaître sa joie simple qui le faisait ressembler à un collégien venant de réussir une bonne farce.

— Je vais prendre une cuite en rentrant à Ismaïlia... terrible ! pour oublier cette saloperie d'odeur... et fêter ce coup-là. Je lui ai placé une droite, mon vieux...

Il la mimait en parlant.

— Croyez-vous que le G. P. vous décorera pour cette droite irrésistible ?

— Ça le mériterait, Leith. Car, pour le reste, c'est un coup de chance.

— En tout cas, préparez-vous à vous faire engueuler par Brand.

— Et peut-on savoir pourquoi ? Qu'auriez-vous fait à ma place ?

— Comme vous.

— Et alors ?

— Ça, Barton, c'est une autre histoire. Vous êtes sûr qu'ils n'ont pas utilisé leur radio ?

— Absolument. Mes premières grenades ont éclaté dedans avant que nous déclenchions l'attaque.

Ils se dirigèrent vers la voiture-radio dont l'antenne était tordue. Le poste était éventré.

— De toute façon, demain, quand ils ne répondront plus, on saura à Benghazi ce qui s'est passé, et comme ils ont dû donner leur position ce soir, on peut s'apprêter à jouer à cache-cache. Peut-être étaient-ils aussi en liaison avec d'autres patrouilles. Il ne nous reste qu'à prendre le large le plus rapidement possible.

Barton était dégrisé. Il ne saisissait pas les raisons de l'attitude de Leith, ni de la menace de Brand. Tout cela était pour lui si logique et naturel.

— Je vais interroger les prisonniers, dit Leith.

Les cinq survivants ennemis étaient assis sur des roches à quelques mètres, les bras derrière la nuque ; deux hommes, derrière eux, les tenaient sous leur feu.

— Va te laver, dit-il à l'un d'eux, tu sens mauvais.

— Prenez toute leur réserve d'eau potable, criait Barton.

Un pillage méthodique du campement et des voitures commença. On entendait les exclamations des hommes. Comme des fourmis, ils allaient et venaient au clair de lune ; on se serait cru reporté à un autre âge : un rezzou dépouillant une caravane, le sac d'un campement. Ils s'emparaient de tout ce qui avait quelque valeur à leurs yeux. Ils furent bientôt chargés à ne plus pouvoir avancer.

Leith avait abandonné son interrogatoire. Les captifs se taisaient. Quand il se fut assuré que les véhicules étaient hors d'état de marche, il rassembla les hommes et commença à leur arracher leur butin, durement. Derrière son dos, en murmurant, ils essayaient de rattraper un objet et l'enfouissaient prestement sous leur burnous.

Selon leur caractère, ils s'étaient alourdis de trophées inutiles ou bien de vivres. L'un d'eux, un Bédouin, avait pris tous les appareils de mesure, compas, compteurs, jumelles, qu'il avait trouvés ; Leith lui laissa les jumelles. Quand il eut terminé, ils n'emportaient plus que des vivres, des médicaments. Les prisonniers avaient la charge des bidons d'eau récupérés et du transport des blessés.

Ceux-ci avaient été rassemblés près d'une voiture et Barton les faisait panser. Il y avait quatre Allemands et trois hommes du commando qui gémissaient leur même douleur d'homme.

Le jeune officier les examinait l'un après l'autre, quand Leith survint.

— Alors, qu'en fait-on ? dit Barton, la voix altérée. Il n'y a guère qu'un Allemand en état d'être transporté et un de chez nous. Les autres, je crains que . . .

Il n'acheva pas sa pensée.

Leith fut pris de court par la question de Barton. Il ne répondit pas. Il les regarda les uns après les autres. Puis, comme un somnambule, il arma son revolver et fit sauter la cervelle de l'un d'eux, qui râlait plus fort que les autres, le ventre rouge de sang.

— Vous êtes fou ! cria Barton.

— Oui, dit doucement Leith. Nous ne sommes que des fous, d'horribles salauds. Nous choisissons entre notre sale petite vie et celle des autres . . .

Son regard était vide, comme s'il fixait à travers Barton un point à l'infini, ignorant le monde.

— Vous ne pouvez pas faire ça.

Les hommes s'étaient rapprochés. Leith les devina plus qu'il ne les vit. Puis, posément, il examina à nouveau chaque blessé. Ils le voyaient s'approcher avec terreur. Leur peur les avaient rendus muets. L'étrange clarté nocturne du désert burinait leurs visages. Il se tourna vers Barton.

— Voyez-vous, il ne fallait pas attaquer, si

vous ne vouliez pas voir ça. Nous sommes ici quinze hommes encore bien vivants dont le salut dépend peut-être de la mort de ceux-là. Vous allez choisir, Barton. Ceux qui ne peuvent plus suivre mourront en plein soleil ici, demain au plus tard, après une agonie effroyable, ou bien ils seront recueillis par une autre patrouille à nos trousses. Les vivants parleront alors. Je les entends : « Une quinzaine . . . à pied . . . dans cette direction . . . » Ce sera l'hallali. L'adversaire saura notre dénuement. Les points d'eau seront tous gardés . . . si ce n'est déjà fait. Allez, choisissez, Barton.

— Je ne peux pas, dit-il. Et Leith reprit :

— Non. Il faut que l'ennemi croie que seule une puissante colonne rapide a pu anéantir celle-ci. Ils ne pourront pas penser, dans leur orgueil, que c'est l'œuvre de quelques va-nu-pieds comme nous. Il faut que le désert ne parle pas . . .

Il appela deux Allemands :

— Prenez deux brancards. Vous en avez un sur chacune de vos voitures et vous porterez ces deux-là. Il désignait un Allemand et un homme des Rangers.

— Leith, ce n'est pas possible, c'est contre les lois de la guerre ! . . .

— Laissez-moi rire avec vos lois. Allez, exécution.

Il prit lui-même dans ses bras tour à tour les deux blessés et les déposa, avec précaution, sur les brancards. Le contact de leurs corps abandonnés lui rappela la sentinelle de Benghazi et le bouleversa.

— Barton, prenez le commandement, je vous rejoins. N'oubliez pas d'emporter tous les bidons d'eau.

Le ton ne souffrait pas de réplique. Pourtant, Barton ne bougea pas, ému par l'attitude de Leith : une sorte de raidissement de tout l'être, derrière lequel il perçut une détresse infinie. Puis Leith se détendit.

— Ces deux-là, dit-il en désignant les blessés sur les brancards, sont encore de trop. Ils vont nous retarder. Vous pensez que c'est terrible, moi aussi ; mais nous n'avons pas les mêmes raisons. Et la chance m'échappe toujours : aujourd'hui, c'est vous qui me l'avez enlevée.

Et il lui tourna le dos, après lui avoir adressé un étrange sourire.

Barton crut qu'il était devenu soudain fou. Il le regarda s'éloigner vers les voitures et s'asseoir sur le marchepied de l'une d'elles. Puis il se décida à donner l'ordre de départ.

Les quatre blessés qui restaient se mirent à crier. Barton marchait en queue de colonne. Il fit un geste pour se boucher les oreilles, que Leith aperçut dans la clarté lunaire.

Il attendit avant de se lever qu'ils se fussent éloignés. Jamais un tel désir de mourir, de disparaître ne l'avait possédé. Pour la seconde fois, il allait frapper, — amis, ennemis désarmés, agonisants sans défense, — et le faire de sang-froid. « Je voudrais n'avoir pas été autre chose qu'une bête de somme d'une utilité élémentaire, n'ayant pas conscience d'être. » Son avenir n'avait plus de forme, il avait tout manqué. Son passé, il savait bien que son intelligence avait toujours tout détruit. Et la guerre aussi, sur laquelle il comptait pour s'anéantir dans l'action, trouver dans celle-ci une raison d'être, une révélation, ou bien simplement pour s'affranchir, se libérer de ses pensées, de ce qu'il appelait sa dignité d'homme : son pouvoir de douter. Cette guerre qui, dans son esprit, n'avait d'utilité que pour lui, à un carrefour de son destin, au moment d'un choix qu'il désirait décisif, ne lui offrait pas le combat espéré mais un absurde piège.

Il marcha silencieusement vers les blessés. « Après, ce sera vraiment sans espoir », pensa-t-il. Il assura son arme dans sa main. L'Allemand l'entendit et poussa un hurlement que l'éclatement mortel brisa net. En appuyant le canon sur la tête de l'homme au corps déjà troué, déchiqueté, il avait senti, une fraction de seconde, la fragilité de la chair sous la pression de l'acier et il se fit horreur. Il n'osa pas capter le regard du premier, ni du second qui ne s'était, lui, rendu compte de rien. Mais le troisième s'agitait, essayait de se traîner pour échapper. La colonne vertébrale brisée il s'agrippait aux cailloux, griffait le sable. Puis, surpris par le silence, il s'était mis sur le côté pour regarder en arrière. Leith était près de lui. L'effroi disparut des yeux de l'homme quand il se baissa vers lui. Ils ne bougeaient plus ni l'un ni l'autre. Le soldat semblait résigné. Pourtant, il ouvrit fébrilement la poche de sa chemise pour en tirer avec peine un porte-cartes. Leith était fasciné par l'effort du blessé. Il oublia d'un coup tout ce qu'il venait de faire, tout ce qu'il lui restait à accomplir.

L'homme réussit à ouvrir son porte-cartes, à le brandir ouvert, en surveillant Leith. Le visage de l'Allemand trahissait une attente, il souriait presque. Son regard disait dans une interrogation où se mêlaient l'angoisse et l'espoir : « Vous voyez, vous ne pouvez pas faire ça à Dora et à Kurt. Ma place à moi, c'est là où vous me voyez, à côté d'eux. » Leith le fixa longuement avant de prendre la photo, tremblant, dans la main insistante. Il la regarda de près. C'était une carte postale de Monte-Carlo. Il la retourna : « Bons baisers de ta petite chatte », c'était signé « Andrée ». Leith haussa les épaules, l'effroi détruisit d'un coup l'espérance qui détendait déjà les traits du blessé. Comme s'il avait le pressentiment de s'être trompé, il s'agita pour attirer l'attention de Leith. Il le vit feuilleter le porte-cartes et dit, quand il s'arrêta sur une photographie :

— Ya, ya.

Il l'observait, une tension de tout l'être dans le regard, comme s'il tentait de deviner les pensées de l'officier.

Ils étaient trois : le soldat en civil, endimanché, une forte fille en robe légère, bras nus, et le petit, renfrogné. C'était une photo de foire, sans nuances, qui accusait les traits, brutalisait le sourire suffisant de l'homme et l'expression un peu bovine de la femme. Leith pensa à « la petite chatte », la fille à soldats de Monte-Carlo. Il comprit le blessé, jeté hors de son univers et qui ne pouvait pas vivre sans tendresse, sans l'illusion de recréer la paix du passé.

Un instant, le décalage inhumain entre cette photo et leur situation apparut à Leith comme le signe de cette monstrueuse confusion du monde. Ce chaos dont ses doutes étaient le signe. Il n'y avait aucune mesure commune entre la réalité et cette photographie. Aucune pensée logique ne pouvait unir les deux choses. Il devina qu'en cet instant l'homme était plus présent dans cette image de bonheur que dans ce désert, que le soldat n'existait plus. Il n'était plus, avec son sourire pitoyable, un moribond sur le sable du Djebel el Akdar, mais simplement Richard Springer, marié à Dora, ayant un enfant : Kurt. Le temps et l'espace étaient abolis, il avait réintégré sa vie dans cette photographie.

Leith était loin, lui aussi ; il se surprit à l'Université. Mais le Leith qu'il voyait lui était étranger soudain. Le Leith d'une autre vie, sans rapport avec la sienne. Il entendait Jane examinant la seule photo qu'ils aient jamais prise d'eux, un jour, au cours d'une promenade.

— Comme vous avez l'air loin et dur, Bunny, toujours comme si vous cherchiez quelque chose au delà de vous, de nous. Pourquoi cette insatisfaction éternelle ? Il faisait si beau ce jour-là, vous vous souvenez ?

« Elle parlait comme Mokrane », se dit-il brusquement.

Ils s'étaient étendus dans l'herbe haute de l'été. Il avait parlé de la mort, il s'en souvenait, en regardant des fourmis. « Elles peuvent se nourrir de nous-mêmes, et de notre chair tisser leur chair qui percevra l'infra-rouge que nous sommes impuissants à voir, c'est merveilleux. » Il s'était senti ridicule tout à coup. Alors, il l'avait attirée près de lui, lui donnant l'aumône qu'elle attendait. Sous son baiser, il avait senti qu'elle s'offrait en se pressant contre lui. Son émotion avait été brève et il fut plus près de se moquer que de l'aimer en la voyant ainsi faible, le regard vide de l'intelligence qui le séduisait, un regard de silencieuse et obscure prière, impérieux et implorant tour à tour, d'une autre Jane. Cette transformation l'avait bouleversé, effrayé même. Il avait fui ses yeux, glissé la main sur ses longues cuisses fermes et chaudes sous la robe légère. Elle s'était tendue, chavirée, la bouche ouverte, la respiration plus rapide. Le désir qui était alors né en lui, il l'avait analysé pour le refuser, et il s'était levé brusquement. Elle l'avait suivi, pâle d'un coup, confuse, avec un air de chien battu.

Ils avaient longtemps marché côte à côte en silence. Lui, dans le sentiment d'une spoliation qu'il s'était infligée, un regret même qu'il n'arrivait pas à vaincre, malgré les deux justifications qu'il se donnait : le goût de la pureté, l'amour de la liberté. Le reste du jour, elle n'avait rien laissé paraître et il ne lui en avait pas été reconnaissant, la trouvant simplement très intelligente. Pour lui faire plaisir, ils avaient pris une photo. Un instant, il se demanda ce qu'elle était devenue. Il se vit la tendre à cet Allemand qui aurait été à sa place à lui, Leith. Alors, il jeta le porte-cartes, et le Richard de la photo, content de lui, la main sur le bras de Dora, lui apparut comme n'ayant rien à voir avec le soldat Springer, l'implorant, comme Jane.

— Non, dit Leith à haute voix.

L'homme devint hagard, un hurlement de terreur le souleva quand il vit l'arme de Leith qui se levait.

Il l'abattit comme il avait refusé Jane.

Il resta longtemps assis sur un rocher, dans la satisfaction morbide de sa solitude et de son désastre intérieur. Tout s'était dérobé. Maintenant, il n'avait plus le choix. Il en était presque rasséréné. Il irait jusqu'au bout de son échec. Il plongerait jusqu'au plus profond de cet abîme, de ce néant insensé qu'était la vie. Il achèverait son chemin absurde. Il lui fallait qu'il soit absurde, jusqu'au bout. Il en éprouvait une sombre satisfaction. Celle d'avoir eu raison depuis toujours. Les râles du « Ranger » le rappelèrent à la réalité. Il se leva. Quand il fut près de l'homme étendu dont les jambes avaient été hachées, celui-ci articula faiblement :

— Dépêchez-vous, je n'en peux plus.

Leith sursauta. Puis il s'agenouilla, désemparé par l'attitude du soldat. Leurs regards s'affrontèrent. Il n'y avait aucune peur dans les yeux du blessé, une sorte d'ironie, une pointe de cynisme railleur simplement, que Leith saisit, étonné. Il ne savait quoi dire devant cet homme qui ne réclamait que la mort.

— Alors ? Il faut y aller . . .

— Oui, dit Leith.

— N'ayez pas peur.

Leith ne se décidait pas.

— Quel nom ?

— C'est sans importance.

— Famille ?

— Nous autres des « Rangers », on n'a plus de passé.

Pour la première fois, il fut saisi de respect pour un homme. « Je voudrais mourir comme lui », pensa-t-il.

— N'exagérez pas, Sir, c'est assez dur comme ça.

Leith appuya sur la détente. Le bruit dérisoire du percuteur seul troubla le silence. Leith qui regardait l'homme avait surpris, le temps d'un éclair, un raidissement, une angoisse sur son visage. L'arme était vide. Sans un mot, il la glissa sous son burnous. Il n'avait pas le courage de la recharger devant le gisant. Il l'empoigna sous les aisselles, le dressa maladroitement pour le basculer sur son épaule malgré ses cris. Et il se mit en route avec sa charge qui tentait de se défendre.

— Non, laissez-moi plutôt crever, — puis, comme un aveu qui lui coûtait : j'ai trop mal.

Leith avançait péniblement ; l'homme sur son épaule râlait doucement, d'un râle régulier. Les jambes pendaient inertes et, à chaque pas, frappaient les cuisses de Leith, rendant sa marche plus difficile. Il eût voulu s'arrêter, se reposer, essayer d'attraper sa peau de chèvre pour se désaltérer, mais il se rendait compte qu'il n'aurait pas le courage de recharger le moribond. « Tout cela n'a pas de sens, pensa-t-il, j'ai été lâche devant son courage. » De sa main libre, de temps en temps, il consultait sa boussole puis fixait un point de l'horizon proche, lunaire et désolé, vers lequel il repartirait.

L'homme se faisait de plus en plus lourd et Leith sentait qu'il perdait du temps et ne rattraperait pas Barton avant le lever du jour. Il commençait à trébucher sur les pierres, dans les descentes, et son effort en était accru. Par moments, les mains du moribond se crispaient sur son burnous jusqu'à lui labourer le haut des cuisses et le gêner encore davantage. La tête oscillait sur son ventre. Il l'entendit murmurer entre deux râles :

— Vous êtes un salaud.

Il fut saisi de fureur contre lui-même, « comme si la vie de celui-ci présentait plus d'intérêt que n'importe quelle autre vie d'homme dans toute cette stupidité ! Jane me trouverait héroïque. » Cette pensée le ramena vers Brand qui, en ce moment, devait souhaiter qu'il y laissât sa peau.

La clarté montait à l'Orient, une étroite bande verte souligna le bord de l'horizon. Maintenant, il avait dépassé le seuil de la fatigue, quelques idées fixes seulement revenaient à son esprit. « Les bâtards sont des maudits. » Tout était venu de là peut-être. Se surpasser... Il fallait se surpasser... Voilà... La vengeance contre le sort... Etre différent jusqu'au bout... Tout à coup, il aperçut des hommes immobiles. Il était au milieu d'eux et il entendit Barton dire :

— Aidez-le... Mais il est mort, Leith !

— Il est mort, répéta Leith machinalement, et il s'affaissa sur le sol en répétant : « Il est mort. » Alors, il se mit à rire d'un rire effrayant et cria :

— Je gagne à tous les coups. J'achève les blessés et je sauve les morts...

— Calmez-vous, Leith, je vous en prie.

Le jeune Barton cherchait une contenance pour couper court à la scène. Il donna l'ordre de poursuivre, malgré le jour qui se levait.

— Voyons, Leith, ce n'est pas digne d'un gentleman.

— Vous pensez que je suis devenu fou, n'est-ce pas, Barton ?... Alors, si c'est cela, je le suis depuis longtemps et personne ne s'en est aperçu. Il est vrai qu'assis dans un club confortable, on peut jongler avec les mots, les idées, ça n'engage pas ceux qui vous écoutent et, pour eux, pas davantage celui qui parle. Ce sont des exercices de style . . . amusants . . . des pirouettes spirituelles de salon . . . Non, vous ne pouvez pas comprendre, Barton. Vous êtes un bon petit soldat de plomb.

— Taisez-vous, je vous en prie.

— Barton, j'aurais voulu avoir à me battre vraiment, à défendre ma vie contre un adversaire. J'ai tout raté. Vous êtes gêné ? On ne vous a pas habitué aux confidences. Ce n'est pas d'un gentleman . . . Je vous envie, Barton, vous ne vous posez pas de questions.

— Avançons, Leith.

— Oui, allons rendre compte au capitaine Brand, de l'Imperial Camel Transport Corps, dit-il avec emphase.

— Vous le détestez, n'est-ce pas ?

— Non, j'aime Brand. Il m'appartient. Je me délecte de lui. Et s'il me reste en face de moi-même une justification à mes pensées, à mes actes, c'est en lui que je la trouve.

Barton regardait Leith, inquiet. Tout était si simple pour lui. Le sous-lieutenant Barton vivait entièrement pour son travail, sa mission, quels qu'ils fussent ; le règlement l'aidait dans ses choix, tempérait ses ardeurs juvéniles, supprimait tous les cas de conscience. Il mettait une ardeur joyeuse à vivre, que ce fût dans la guerre, ou aux régates d'Oban en Ecosse. Leith lui échappait. Pourquoi lui avait-il dit cette nuit : « Vous m'avez enlevé ma chance » ? Et il n'osait pas lui demander d'explications. « Il y a un drame. » C'est tout ce que Barton trouvait. Il croyait entendre sa mère dire : « C'est un drame », pour expliquer tout mystère dans les familles amies. Elle n'allait jamais plus loin, ne livrant pas d'explications. Il pensa à son père, Mr. Barton, « Barton et C° », comme disaient les employés. « Où travaillez-vous ? — Chez Mr. Barton, Barton et C°. » L'habitude était restée de cette précision qui s'accompagnait d'une note de respect. A cette heure, son père se levait et regardait le ciel en disant : « Il va pleuvoir sur Fort William. » Pour le vieux Barton, c'était ainsi depuis toujours. Il ne pleuvait qu'en un seul endroit en Ecosse : à Fort William. Sa rancune contre l'Histoire s'était muée en malédiction météorologique.

Leith s'était tu. Il se surprit à regretter que Jane ait épousé Brand et il en fut troublé. « Elle méritait mieux. » Et après tout, qu'en savait-il ? Il avait bien rarement songé, après son retour d'Egypte, aux raisons qui l'avaient éloigné d'elle. Son goût de la liberté ne suffisait pas à expliquer sa fuite. Il le savait bien. Il ne l'avait pas épousée parce qu'elle était de très bonne famille, qu'il était un bâtard orphelin, et que son orgueil l'avait empêché de demander sa main. Ce même orgueil qui faisait de lui un être sans amis. Il jeta un coup d'œil en dessous au jeune Barton qui avançait, le visage tranquille malgré l'effort. Il regretta de l'avoir troublé tout à l'heure. Barton lui plaisait et il sut pourquoi, tout de suite : c'est qu'il était un homme vrai et fort, fort comme ce moribond qu'il avait porté, fort comme Jane. Des êtres qui ne rusaient pas avec eux-mêmes et n'essayaient pas de tricher avec le destin. Ils suivaient leur route sans questions. Lui n'était que questions.

— Barton, excusez ma brutalité de tout à l'heure.

— J'ai compris, Leith, ça a dû être très dur. Je n'aurais pas voulu être à votre place. Mais je crois que vous avez eu raison.

Immédiatement devant eux marchaient les prisonniers, portant les deux blessés.

— N'y pensez plus, Leith, je n'ai pas été non plus très chic.

Les Allemands posèrent les brancards. L'un d'eux se retourna en faisant un signe. Leith s'approcha. Il regarda les blessés. L'Allemand ne respirait plus qu'à peine.

— Barton, commandez l'arrêt. Nous allons essayer de nous camoufler ici pour la journée. La surveillance aérienne risque de se manifester bientôt.

5

Depuis que Brand était seul avec sa troupe, il éprouvait un sentiment de soulagement. Devant ses hommes, débarrassé de la présence de Leith, il retrouvait sa liberté de commandement. Son juge éloigné, il était délivré. L'angoisse ne parvenait pas à entamer une certaine allégresse. Quand ils arrivèrent dans la faille ravinée de l'oued desséché, le soleil se levait, teintant de violets qui viraient lentement au rose les falaises délitées. Pour la première fois depuis trois jours, ils aperçurent quelques thalas épineux et une verdure rare, par plaques, à demi calcinée, ici et là.

Les hommes cherchèrent s'il ne subsistait pas encore quelque mare, une guelta, sans résultat. A défaut, ils s'allongèrent sur les touffes d'herbes, encore vertes, pour y sentir, durant quelques minutes, la fraîcheur de la terre avant que le soleil ne la pompe complètement. La fatigue tombait sur eux et déjà le courage leur manquait pour préparer leur repas, arracher quelques shots ligneux pour allumer un feu léger.

Brand, assis dans une anfractuosité de la falaise, regardait ses soldats, une étrange sensation de puissance au cœur. N'avait-il pas réussi sa mission ? Ceux-là, au moins, il les ramènerait au Q. G. Il se sentit fort pour la première fois depuis qu'il exerçait ce commandement ; Barton et Leith, accrochés par l'ennemi, ne comptaient déjà plus. Et, tout à coup, il fut saisi de tendresse pour les hommes étendus près de lui. Ils seraient les survivants, la poignée de survivants qui, sous sa conduite, aurait réussi le plus sensationnel raid du désert de toute la guerre. Il se leva et appela Barney, l'infirmier.

L'homme se leva à contre-cœur en disant à son voisin, Wilkins :

— Peut pas nous foutre la paix une minute.

A pas lents, il rejoignit Brand.

— Fatigué, Barney ?

L'infirmier le regarda avec méfiance. Le ton était inhabituel.

— Un peu, Sir.

— Je comprends ça, moi aussi.

Barney ne répondit pas, se demandant quelle corvée allait lui tomber dessus.

Brand dévisageait l'infirmier au regard inexpressif. Déçu de ne pas y retrouver la chaleur, la sympathie, qu'il lui témoignait, il tenta une avance.

— Nous nous en sortirons, Barney, nous avons bien réussi jusqu'ici.

— Oui, Sir.

— Alors, ne vous laissez pas abattre, ni les uns, ni les autres. Demain, nous trouverons les chameaux d'Evans près de M'Sous. Après, ce sera plus facile. Barney, vous allez rassembler les hommes et nous distribuerons la ration de quinine et les tablettes de vitamines. Je compte sur vous, absolument, pour me seconder. Vous êtes le seul sous-officier qui me reste. Nous sommes peu nombreux maintenant. Ceci augmente considérablement nos chances, mais il faut conserver notre moral.

Brand, sans s'en rendre compte, rayait Leith, Barton et leurs compagnons du nombre des vivants.

— Nous n'attendrons pas les autres, Sir ?

La question fit l'effet d'une insulte à Brand.

— Barney, nous n'avons pas à les attendre. Nous ne savons pas s'ils ont réussi ou non. Et, s'ils ont réussi, rien ne nous dit qu'ils gagneront l'oued en amont. Donc, rester ici risque de nous faire perdre du temps s'ils ont abordé l'oued plus au sud. C'est une décision logique.

Barney regardait Brand, surpris. Jamais il n'aurait pensé que le capitaine pût lui donner un jour tant d'explications pour justifier ses ordres.

— Allons, Barney, — et Brand lui posa la main sur l'épaule, — ici nous sommes tous logés à la même enseigne, officier et soldats, alors, il ne nous reste qu'à serrer les coudes.

— Puis-je vous poser une question, Sir ?

— Allez-y, Barney.

— Et si par hasard le lieutenant Leith n'est pas devant nous, plus au sud, nous l'attendrons à M'Sous ?

— Il n'est pas question d'abandonner qui que ce soit, Barney. Vous m'avez mal compris. Rassemblez les hommes, je vous suis.

Barney alla faire lever ses camarades. Quand il fut près de Wilkins qui dormait déjà, il le secoua.

— Alors quoi ? On repart ?

— Non, Wilkins. Rassemblement.

— On n'a pas fini d'en baver avec celui-là.

— On nous l'a changé, mon vieux, ce serait plutôt qu'il est trop gentil... Mais... Je crois, Wilkins... Ah ! puis, j'aime mieux me taire.

— Te casse pas la tête, La Seringue.

Les hommes se rassemblaient lentement au pied de la falaise et Brand les regardait, énervé par leur allure. Puis il vit Mokrane prosterné qui ne bougeait plus. Le Bédouin faisait sa prière du lever du jour.

Il fut sur le point de l'appeler mais se ressaisit. Il le détestait depuis qu'il avait deviné son attachement profond à Leith, cette sorte d'entente entre eux qu'il trouvait indigne d'un officier anglais. Souvent il les avait épiés, en songeant à un de ses camarades découvert dans son bungalow, aux Indes, avec un « native » et qui avait été chassé de l'armée.

Mais aujourd'hui, Leith n'était plus là, et Mokrane était un bon guide. Quand l'Arabe eut terminé sa prière, il rejoignit les autres. Brand s'efforça de prendre un air paternel. Les hommes furent étonnés par cette attitude patiente du capitaine.

— Tu as raison, Barney, on nous l'a changé, dit Wilkins.

Brand commanda le garde-à-vous, comme s'il eût été à l'exercice. Les réflexes jouèrent cependant malgré la surprise et la fatigue et il promena sur sa troupe un regard satisfait.

— Messieurs, je ne voudrais pas vous ennuyer avec des questions qui dans notre situation peuvent vous paraître inutiles ou secondaires.

Il s'arrêta pour tenter de lire sur les visages amaigris et durs des hommes. Ceux-ci restaient figés, hargneux d'avoir été dérangés. Il poursuivit plus nerveusement.

— Nous ne devons pas nous laisser aller. Il est nécessaire plus que jamais de surveiller notre tenue, de conserver notre discipline. Bien que sans uniforme, nous ne devons pas oublier que nous sommes des soldats de Sa Majesté qui peuvent avoir à faire face à des patrouilles ennemies. Aussi, je vous demande un nouvel effort. Dans ces gorges nous ne craignons guère l'observation aérienne ; en conséquence, dans une heure nous continuerons d'avancer. Plus tôt nous aurons rejoint le parc à chameaux, plus tôt nous pourrons nous reposer et ensuite notre progression sera rendue plus facile. Par ailleurs, avant de partir, je passerai une inspection de vos armes. Croyez bien que ce n'est pas dans le dessein de vous ennuyer, mais pour votre sécurité à tous. Rompez les rangs.

Les hommes se dispersèrent, se regardant, ahuris.

— Le voilà maintenant qui s'excuse de nous emmerder ! Barney, ça ne tourne pas rond.

Brand allait de l'un à l'autre, éprouvant le besoin de rompre sa solitude. Cependant, il avait estimé nécessaire cette « reprise en main ». Sa troupe prenait l'allure d'un rezzou et il ne pouvait le tolérer.

— Alors, Wilkins, ça va ?

— Oui, Sir.

— Bon ! Bon !

Et il repartait, se heurtant à un mur d'indifférence polie.

— Alors, Mokrane, ça va ?

— Inch Allah, Sir.

— Tu as l'air triste, Mokrane ! Est-ce que tu crains pour la vie du lieutenant Leith ? Rassure-toi, nous le reverrons. Je l'espère comme toi.

Le regard lisse et noir fixa le capitaine, puis l'Arabe se mit à démonter sa mitraillette en disant :

— Allah sait tout, Sir.

Brand alla s'asseoir à l'ombre de la falaise, désemparé, ne comprenant pas leur indifférence à ses avances. C'était, lui semblait-il, comme s'ils n'avaient pas confiance en lui. Il ne leur avait pourtant rien fait, il n'était pas l'auteur des règlements. Un minimum de discipline est nécessaire. C'est évident. Il les voyait assis, leurs armes sur les genoux, les examinant sans ardeur ; quelques-uns seulement les démontaient.

— Wilkins, dit Barney, tu ne la démontes pas ?

— C'est trop con. Supposons que les copains d'en face nous tombent dessus. Ce serait marrant de se défendre en leur foutant les morceaux dans la gueule.

Quand l'heure se fut écoulée, Brand se leva, hésitant s'il devait passer cette inspection des armes. Il opta pour ce qu'il croyait être de la générosité.

— En route ! cria-t-il, je pense que vos armes sont en ordre. Mokrane, en tête avec Barney. En cas d'alerte aux avions, collez-vous contre la falaise. Barney, vous avez distribué les tablettes ?

— Oui, Sir.

Un à un, sans se presser, les hommes se mirent en route.

— Barney, tu as été baisé. Il ne passe pas l'inspection.

— Ça alors. Je n'y comprends plus rien !

— Il a un moyen plus sûr de nous crever, mon vieux. Tu crois qu'on va pouvoir marcher toute la journée ? Moi, je commence à cracher de la craie.

Le capitaine suivait en queue le groupe qui s'enfonçait dans le décor minéral et délité des hautes falaises dont les éboulements entravaient la marche. La fraîcheur nocturne rendait l'air encore respirable et donnait, aux premières heures du jour, un élan nouveau aux hommes. Une force orgueilleuse portait Brand. Tous ceux-là qui le précédaient ne pouvaient discuter ses ordres. Et pourtant la question de Barney avait jeté un trouble en lui. Il eut peur d'un jugement inexprimé ; leur mauvaise volonté qui se manifestait par la lenteur à exécuter ses instructions en était le signe. Jamais, jusqu'ici, il n'avait songé qu'un soldat pût manifester ses sentiments ou quelque volonté d'indépendance inavouée contre celui qui commandait. La rébellion ouverte qu'il était si simple de réduire avec l'arsenal du code militaire eût été préférable. Il se mit à les haïr de n'avoir pas répondu à son attente, alors qu'il s'était montré si humain avec eux. Que leur avait-il fait pour être ainsi détesté ? Car ils le détestaient. Tout le monde le détestait, même Jane au fond, qui s'égayait des boutades de Leith contre l'état-major.

Il en venait lentement à désirer les contraindre à un éclat afin de les briser pour s'affirmer, qu'ils sussent bien qu'il était celui dont on ne discute pas les ordres. Ils ne marchaient pas assez vite à son gré et son impatience croissait peu à peu, sans qu'il osât s'avouer déjà qu'il voulait arriver au parc à chameaux d'Evans avant Leith et Barton.

Il se voyait rentrant au Q. G., seul officier survivant avec une poignée d'hommes. « Le capitaine Brand, l'homme du raid sur Benghazi... Brand, l'homme du plus grand exploit de la guerre du désert... » Il avait encore besoin d'eux et dompta son impatience.

Après une heure de marche, il donna le signal du repos. Les hommes s'écroulèrent sur place. Il les regarda, debout, mettant une sorte de point d'honneur à les dominer, en allant de l'un à l'autre malgré sa fatigue, en quête de leur admiration. Il se sentait leur supérieur en manifestant ainsi sa force de résistance.

Wilkins disait à Barney :

— Il ne ferait pas le mariole s'il avait vingt kilos de conneries à trimbaler.

— Dis donc, Wilkins, il ne peut tout de même pas porter un barda. T'oublies qu'il faut qu'il puisse conserver des forces pour commander, s'il y a un pépin. On ne peut pas réfléchir si on est fatigué.

C'était ce que venait de penser le capitaine : « Il ne portait rien. » C'était facile de rester debout après une heure de marche. Et, comme s'il eût deviné la pensée de Wilkins, il s'approcha de lui.

— Wilkins, vous me donnerez votre barda jusqu'à la prochaine pause, vous semblez fatigué.

Wilkins, sans bouger, regarda Brand d'un air ennuyé.

— Je ne suis pas plus pourri que les autres, Sir, je peux porter tout mon « bordel ».

Brand tourna les talons sans dire un mot ; quand il se fut éloigné, Wilkins se tourna vers Barney :

— J'aime pas les sœurs de charité. S'il trouve qu'on est fatigués, il n'avait qu'à faire comme d'habitude : s'arrêter au matin. De toute façon, y faut pas qu'y s'imagine me faire pisser le sang toute la journée.

L'ordre de départ agita les hommes qui somnolaient. Ils se remirent en route lentement. Brand avait pris cette fois la tête de la colonne aux côtés de Mokrane. Il voulait forcer l'allure. Le Bédouin suivait de son pas souple, genoux légèrement fléchis, coudes en arrière. Après un quart d'heure de marche, Brand se retourna. La colonne s'était allongée. Une rage froide s'empara de lui. Il s'arrêta et attendit que les traînards l'eussent rejoint.

— Je vous demande un effort, il est nécessaire d'atteindre au plus vite les chameaux. Ceux qui freineront notre marche seront abandonnés à leur sort. Atteignons le puits, les chameaux, le plus rapidement possible, et nous serons sauvés. Sinon . . . sinon, vous crèverez de soif . . . Vous m'entendez ? Chaque pas, chaque minute comptent.

Sa voix était devenue aiguë, presque hystérique.

— Y perd les pédales, glissa Wilkins à Barney.

— Quoi ?

Brand avait aboyé, ayant perçu un murmure. Personne ne répondit.

Il sortit son revolver.

— Qui a parlé ?

Le silence se fit, redoutable. Les hommes, immobiles, le fixaient, butés, figés par la fatigue et une sorte de haine glacée qui venait de loin. Il perdit pied devant leur passivité menaçante.

— C'est bon, dit-il, on murmure par derrière, mais en face on se tait. Vous ne comprenez donc pas que c'est dans votre intérêt que je vous demande cet effort.

Wilkins s'assit, un air de défi sur son visage tavelé et redoutable.

— Wilkins ! cria Brand.

L'homme ne bougea pas. Le capitaine s'approcha de lui, au comble de la fureur.

— Levez-vous.

Wilkins se leva en prenant son temps.

— Vous refusez d'avancer, de m'obéir ?

— Je ne refuse rien, Sir, j'ai rien dit, dit-il, l'air innocent, prenant le ciel à témoin d'un grand geste des bras.

— Pourquoi vous êtes-vous assis quand je vous parlais ? Vos camarades sont restés debout.

— C'est qu'ils ne sont pas fatigués, Sir.

— Vous l'êtes ?

— Naturellement.

— Alors pourquoi avez-vous refusé que je porte votre charge ?

— Je n'avais pas envie qu'on se foute de ma gueule.

Brand ne sut que dire. Wilkins le regardait d'un air tranquille, un soupçon de sourire au coin des lèvres devant l'embarras du capitaine.

— En route.

La marche reprit, Brand était désemparé. Il eût voulu avancer rapidement, arriver le premier. Et les hommes lui résistaient, à lui, leur chef. Il les briserait, les abandonnerait s'ils continuaient ainsi. Insensiblement, il avançait plus vite, aussi vite que les éboulis le lui permettaient. Le soleil, déjà haut dans le ciel, commençait à brûler les pierres. Brand suait, ses yeux bleus très clairs brillaient d'un éclat fiévreux dans son visage bronzé ; la fatigue n'avait pas réussi, en l'affinant, à en effacer la beauté un peu molle. La question de Barney : « Nous n'attendons pas les autres, Sir ? » lui revenait à l'esprit. Il savait, sans vouloir encore se l'avouer, qu'il ne les attendrait pas. « Je dois ramener au plus vite tous les documents que nous avons enlevés. » L'excuse naissait en même temps.

Ils titubaient maintenant dans un paysage ruiniforme et désolé. Le soleil commençait à frapper dur les nuques inclinées sous l'effort. De temps à autre, un homme trébuchait sur une pierre en poussant un juron. Brand n'entendait rien, il marchait dans une tension de toutes ses forces. Qui pourrait lui reprocher de n'avoir pas attendu Leith et Barton ? « Capitaine Brand, pourquoi avez-vous abandonné Leith et Barton ? » Le major Callander le regardait d'un air sévère. « Sir, je n'ai abandonné personne. Leith et Barton ont été accrochés. Ils étaient en protection d'arrière-garde du commando. J'avais pour instructions de rejoindre au plus vite avec les documents pris à Benghazi. Ils sont restés en couverture pour tromper l'ennemi afin de faciliter mon avance. » « Pourquoi, Brand, ne leur avez-vous pas laissé suffisamment de chameaux ? » C'était le point délicat à expliquer. Il pourrait dire que ses hommes étaient beaucoup plus chargés que ceux de Leith. Non, là, il se heurtait à une difficulté sérieuse. Paterson, ne voyant que le résultat, accepterait son explication, mais Callander ? Pourquoi avait-il cherché à le dissuader de s'engager dans cette opération ? Il buta sur une roche et sentit une douleur aiguë à la cheville. Il s'arrêta inquiet, envahi par une impression de solitude. A quatre cents mètres derrière lui, la colonne s'étirait. A ce spectacle, sa peur se mua en haine. Il les détesta d'entraver ses projets, les haïssant de lui être indispensables pour se sauver. Il attendit qu'ils fussent arrivés jusqu'à lui, écoutant les battements désordonnés de son cœur. Il se redressa, rectifia sa tenue et composa son visage pour les accueillir. Barney et Mokrane restèrent debout à quelques mètres. Les autres, pensant que c'était une halte, posaient sur le sol leurs sacs et leurs guerbas. Wilkins, déjà assis, examinait ses pieds d'un air attentif.

— Ce n'est pas la pause, dit Brand.

— Pause ou pas, je m'en fous.

Il chercha des yeux qui avait parlé. Barney s'avança vers le capitaine.

— Je crois, Sir, que nous ne pouvons pas continuer. Les hommes sont harassés.

— Barney, ceux qui ne pourront pas suivre attendront Leith. Nous devons atteindre Evans. En route, cria-t-il, et tâchez de ne pas traîner.

Wilkins, déchaussé, ne bougea pas. Ses « nails * » posées près de lui, il examinait avec attention ses pieds, les caressait comme des choses ou des êtres étrangers à lui-même, leur parlant.

— T'as raison . . . toi aussi.

Brand s'approcha de lui.

— Wilkins, vous ne voulez plus continuer ?

Le soldat leva la tête. Il avait pris un air complètement abruti.

— Ce n'est pas moi, c'est eux, dit-il en désignant ses pieds.

Ahuri, Brand regarda les pieds de Wilkins. Ils étaient tatoués. Sur l'un, il put lire : « Je ne marche plus », et sur l'autre : « Ni moi non plus. »

Wilkins leur souriait tendrement ; le capitaine se ressaisit, pensa qu'il devait faire un exemple. Les autres suivaient la scène, attentifs.

— Wilkins, je vous donne l'ordre de vous lever.

Il avait à nouveau sorti son revolver. Wilkins le regarda bien en face et laissa tomber dans le silence :

* *Sorte de sandales portées par les Arabes et les unités du désert.*

— Crever pour crever, j'aime mieux ça, c'est plus rapide.

Brand se tourna vers les autres. Il aperçut leurs sacs sur le sol, et n'osa plus bouger, inquiet devant les visages hostiles. Il hésita sur ce qu'il allait faire, puis il rentra son arme sous son burnous. Il fallait que ces sacs de documents arrivent au Q. G. C'était cela sa mission, pensa-t-il. Mais au fond de lui, il sut qu'ils n'étaient plus que le témoignage nécessaire pour qu'il soit « le héros de Benghazi ». Ils n'avaient plus d'autre valeur à ses yeux. Les mots flatteurs ne lui revenaient-ils pas à l'esprit, comme un leitmotiv, chaque fois que la fatigue s'abattait sur lui, que la tentation d'abandonner la partie le visitait ? Il aimait à se murmurer l'éloge attendu : « Le héros de Benghazi. »

— C'est bon, dit-il. Nous allons nous reposer ici ; camouflez-vous. Nous repartirons ce soir.

Et il alla se mettre à l'écart, vaincu.

Les hommes s'approchèrent de Wilkins ; il ressentit comme un affront leurs conciliabules avec celui-ci.

Il aurait aimé les mitrailler tous, les détruire pour vaincre leur résistance. Peu à peu, il sublima sa solitude. N'était-ce pas parce qu'il leur était supérieur ? N'avait-il pas réussi là où le baron Almassy, un spécialiste pourtant, avait échoué dans un raid du même ordre contre le Q. G. anglais, pour le compte des Allemands ? Il les méprisa de ne pas le reconnaître et leur en voulut aussi de n'être pas des leurs, de ne pouvoir faire corps avec eux.

Il les voyait s'installer sans hâte. Seul, Wilkins n'avait pas changé de place. Il semblait prendre un plaisir ineffable à remuer ses doigts de pieds.

— C'est plus un capitaine, mes petits, c'est Dave la pétoire, Dave la pétoche, Dave la péteuse.

Stupéfait de ses trouvailles, il regarda en riant Brand, assis dans un coin. Puis il choisit un creux pour dormir le dos au vent.

Brand se retrouvait comme au temps du collège quand il proposait quelque chose à ses camarades, un jeu ou un itinéraire de promenade. Il se trouvait toujours quelqu'un pour le contredire. Et les autres, aussitôt, de faire bloc contre lui. Une fois seulement ils avaient accepté de suivre sa proposition sans la discuter. Il avait projeté une randonnée à bicyclette dans le but de visiter des carrières.

Ce dimanche-là, il prit la direction du groupe. Ils roulèrent une partie de l'après-midi, à vive allure, ses camarades se relayant en tête de la bande. Tous mettaient un zèle surprenant à chercher des pierres, des fossiles qu'ils entassaient dans leur sac à dos afin de les ramener au professeur de géologie. Quand il voulut donner le signal du retour, ils trouvèrent de bonnes raisons afin de continuer plus loin, vers une carrière magnifique, véritable paradis des chercheurs de fossiles. De kilomètre en kilomètre, ils s'éloignaient davantage.

Il tombait de fatigue mais ne voulait pas l'avouer ; ils s'arrêtèrent enfin aux abords d'une petite bourgade. La carrière merveilleuse n'était qu'une immense décharge à ordures ménagères. Furieux, il fit demi-tour, sans dire un mot, sous les rires de ses compagnons. Sur le chemin du retour, l'heure tardive accroissant son inquiétude d'arriver après la fermeture des portes, il pédala de toutes ses forces. Les cailloux lui meurtrissaient le dos à travers son sac. Les aiguilles de sa montre avançaient trop vite à son gré, mais tout au long du parcours la pensée que les autres seraient sûrement en retard le soutenait. De temps à autre, il se retournait pour voir s'ils n'apparaissaient pas dans le lointain. Vingt heures sonnaient comme il arrivait, épuisé, à l'entrée de la ville. Cinq minutes de retard, cela pouvait s'arranger pour lui. Il tenait sa revanche et se réjouissait déjà de la réception que leur réserverait le censeur.

Quand il entra dans la « salle des colonnes », suant et congestionné, il fut accueilli par un éclat de rire.

— Voilà le champion !

Les autres l'attendaient, l'air frais. Ils avaient mangé à l'auberge du bourg et pris le train pour rentrer.

Jamais plus il n'était sorti avec eux.

Il se trouvait toujours, partout où il passait, une bande pour comploter contre lui. En ce moment, c'était Wilkins, pensait-il. Puis, tout à coup, ses souvenirs éveillèrent une nouvelle angoisse : si Leith arrivait aux chameaux avant lui... S'il avait pris la direction qu'il avait choisie la veille au soir, il risquait de le gagner de vitesse, s'il ne lui était rien arrivé de fâcheux. Leith l'attendant, c'était l'affront d'autrefois. Il fut sur le point de donner le signal du départ. Sa lassitude eut raison de son orgueil.

Le soleil, en montant, abattait de grands pans d'ombres bleues qui, d'un seul coup, dépouillaient les falaises de leur mystérieuse allure de cathédrales en ruines. Le lit de l'oued devenait une fournaise contre laquelle les hommes se protégeaient mal, leurs abris d'ombre se réduisant de minute en minute.

Ils étaient lovés sous leurs burnous, tête enfouie, pour se protéger des mouches. Le silence était total ; pas un oiseau, pas un glissement de lézard ne troublait cet univers incandescent qui les décharnait lentement et leur faisait, la nuit venue, claquer les dents de froid.

Brand sentait le désespoir l'envahir. Il commençait à se défaire, incapable de penser, en proie seulement à des bribes de souvenirs, d'images, où le passé et le futur étaient étroitement mêlés dans des visions au bord du délire qui toujours le ramenaient à son succès ou à sa haine pour Leith. Dans l'état de demi-conscience où il était, celle-ci éclatait librement, prenait corps, impérieuse et obsédante. L'« Operation Footing » devenait un simple duel entre eux deux. S'il en sortait vainqueur, il pensait qu'il serait un autre homme, que personne ne pourrait plus l'effrayer, car il aurait été plus intelligent que le brillant Leith. Il sombrait petit à petit dans une sorte de folie à travers l'idée fixe qui ne le quittait pas depuis la nuit de Benghazi. Par moments, il songeait à ce qu'il dirait à Jane. Il la réduirait aussi, la punirait d'avoir admiré Leith, de l'avoir aimé peut-être.

Bien avant que la nuit ne fût tombée, il s'éveilla de son état de somnolence et alla secouer les hommes. Ils absorbèrent leur repas en silence et se remirent en marche. Brand alors, en reprenant pleinement conscience, se sentit malheureux. Il n'avait pas le droit d'abandonner quiconque. « L'officier est comptable de la vie de ses hommes », la leçon de Sandhurst reprit sa force. Il était tout de même le chef responsable. D'avoir cédé à des pensées inavouables le bouleversa et il se trouva accablé par sa faiblesse, puis, bientôt, révolté par l'idée de celle-ci.

6

Leith et Barton marchaient côte à côte en silence. Le jeune officier n'osait pas troubler la méditation de son camarade, bien qu'il désirât lui montrer sa compréhension pour toute la rigueur cruelle que la nuit précédente lui avait imposée. Mais ce sont des choses qu'un Barton ne dit que difficilement, car elles frisent l'indécence. Chacun poursuit sa route. La confidence et le chant du cœur trouvent rarement place entre hommes.

Aux premières lueurs de l'aube, le froid de la nuit se faisait plus aigre. Leith pourtant ne le sentait pas. Il était lointain, enfermé dans son univers désespéré, dont la vérité, une fois de plus, s'était manifestée au cours de son action. L'absurdité du destin de l'homme, de son destin, lui paraissait maintenant irrémédiable. Il était seul, lui semblait-il, comme personne ne l'avait jamais été. Aucun être au monde pour penser à lui, le relier à la terre, par les mille quotidiennes inquiétudes salvatrices de l'homme. Il avançait dans le désert, plus démuni que le nomade qui peut caresser sa chamelle, partie de lui-même et sa préoccupation constante. L'heure tant redoutée de cette confrontation avec lui-même, quand il avait dû agir, détruire des hommes désarmés, le laissait anéanti. Il tenta de s'accrocher à ses responsabilités de chef sans pouvoir y fixer sa pensée. Une quinzaine de malheureux, se traînant dans les rocs et les sables, quelle signification cela avait-il en regard du grouillement du monde rongé de famines, de maladies, écrasé sous les bombes ? Que représentaient-ils de si sacré dans l'ensemble, de plus cher que le reste ? Il envia Barton de n'avoir pas de problèmes : « Tue pour le droit, Barton, tue pour la paix. » Barton n'a pas besoin d'une justification intérieure, il fait corps avec l'ensemble, il est de lui. « Je ne suis de rien, je ne suis que du désert. » C'était cette absence de racines qui l'avait conduit, jeune encore, vers les solitudes du sud, à la recherche des témoignages de civilisations englouties, puis soumis à la fascination de cet infini où tout n'est que silence et espaces solennels, sans limites. Où rien ne vit. Où l'on peut croiser des hommes, balancés à l'amble majestueux des chamelles, sans qu'un lien s'établisse, sans que soit souillée la pureté de la solitude. Aller ainsi sans but, lavé du monde et de ses faux problèmes : image du destin absurde de l'homme, mais la seule supportable dans le réconfort qu'elle apporte par son détachement même du monde. Image d'absolu, d'un univers hors de l'Histoire, sans avenir, sans passions, dans une clarté semblable à celle du ciel blanc du désert.

Pourquoi ne l'avait-il pas compris plus tôt, alors qu'il était encore un homme sans souvenirs ? Quelle folle insatisfaction l'avait conduit à entrer dans le jeu, à vouloir être acteur et partie de l'Histoire avant d'en être la victime ? Qu'avait-il voulu vaincre en lui ? Abolir son nihilisme intellectuel pour s'intégrer enfin à quelque chose ? Il n'en savait plus rien. Peut-être, à son insu, avait-il voulu se donner une dernière preuve, s'infliger un nouvel échec, afin de ne pouvoir reculer devant une rupture définitive avec le monde ? Atteindre à la liberté et ne plus être le témoin lucide de la vanité dans laquelle se débattaient les hommes ? En finir avec ce goût de détruire leurs certitudes, de se réjouir cyniquement de leur sottise et de leur fatuité ? Ne plus piétiner au milieu du bétail obscur d'un troupeau pathétique en marche vers l'inconnu, rusant avec ses propres mensonges pour vivre envers et contre tout jusqu'au néant final ? Ne connaître ni doute, ni espoir ? Il songea à la misérable vie de Brand qui n'existait qu'en fonction de son rang dans les pages de l'Annuaire des officiers, année après année, attendant l'édition suivante, ainsi jusqu'à sa mort.

Rien ne pouvait lui être proposé que la solitude du nomade insoumis et errant. Peut-être alors le mystère de son destin s'éclairerait-il ?

Dans cette impasse où il se plaçait, la tentation de Dieu lui venait. Tentation qu'il repoussait au nom de tous les dieux des hommes, au nom de l'absurdité universelle.

— Leith, nous ne devons pas être loin de M'Sous ?

La voix de Barton le rendit à la réalité.

— Non. Si nous avions le courage de continuer, nous serions au rendez-vous d'Evans dans deux ou trois heures. Mais je pense qu'il vaut mieux attendre la nuit.

— S'il suffit de deux heures encore, peut-être devrions-nous tenter d'y arriver. Ce sera une sorte de délivrance pour les hommes.

— Si vous voulez. Aux premières lueurs du jour, nous ne risquons pas encore grand-chose.

Et la marche continua. Les hommes suivaient en silence.

— Leith !

— Oui ?

— Pourquoi m'avez-vous dit l'autre nuit : « Préparez-vous à vous faire engueuler par Brand » ?

— Barton, avez-vous jamais vu une danseuse étoile applaudir au triomphe d'une petite seconde danseuse ?

Barton ne répondit pas, regardant Leith, déconcerté.

— Ce que je vous dis vous surprend, Barton ?

— Oui.

— Alors, attendez. Je crois que votre échec eût davantage satisfait le capitaine que votre victoire, et votre mort l'eût même servi. Je le connais, Barton. Je vous envie, voyez-vous, d'être ainsi. Vous me semblez être un canard blanc perdu au milieu d'une couvée noire. Il y a un poète surréaliste français qui a chanté un jour : « Une vieille qui pissait son âge sur de jeunes coquelicots. » Quand je vous parle, il me semble être cette vieille.

Barton éprouva un instant d'écœurement. Il ne toléra pas que Leith osât penser de telles ignominies de leur chef.

— Sans vous, Barton, Brand était battu ; vous allez être son boulet, l'artisan indésirable de son triomphe. La gloire est difficile à partager, d'autant plus qu'à Benghazi . . .

Il n'acheva pas sa phrase.

Barton s'écarta légèrement de lui. Il ne parvenait pas à percer le secret du mépris de Leith pour Brand, il n'y voyait qu'une indigne rivalité de grade. Il était légitime que Brand, chef du commando, tirât gloire de sa réussite. A Ismaïlia, à l'entraînement, il admirait son allure, appréciait son autorité, ses connaissances. La jalousie, pensa Barton, une jalousie qui avait quelque chose d'indécent à s'étaler ainsi en rancœur, en calomnies contre un officier respecté. Ils poursuivirent leur marche sans plus parler. Barton, décidé à n'avoir que des rapports de service avec Leith, retomba dans son indifférence.

Quand des chiens faméliques vinrent rôder auprès d'eux, ils surent qu'ils approchaient d'une zériba et qu'ils devaient redoubler de prudence.

— Nous ferions aussi bien de nous reposer et d'attendre la tombée de la nuit.

Ils s'installèrent, disséminés dans les rocailles et les sables. Des buissons desséchés servirent à étendre leur burnous pour les protéger du soleil. Personne n'avait plus la force de parler, et ils durent faire un effort pour manger leurs dernières et maigres provisions. La plupart commençaient à manquer d'eau. L'un des blessés venait de mourir et Leith dut imposer l'effort de l'enterrer immédiatement. Le sol dur résistait, il fallut se contenter de recouvrir le cadavre de pierres.

— Vous voyez, Barton, toute cette fatigue a été inutile.

Barton ne répondit pas.

Leith s'approcha des prisonniers, comme s'il en attendait quelque chose.

Depuis leur capture, il avait envie de leur parler, de savoir à quoi ils obéissaient, de déchiffrer dans chacun le sens secret de sa lutte, trouver l'explication qui lui avait toujours été refusée. Aucune des interprétations de l'Histoire sur les mobiles des peuples et des hommes ne le satisfaisait. Il pressentait quelque chose au delà de l'homme ou bien en deçà, au plus profond de lui-même, pour lui faire accepter ce que la raison ne pouvait que refuser. Il pensa à ces deux marins qui ne parlaient pas la même langue et qui s'étaient rués l'un sur l'autre, au paroxysme d'une fureur au fond de laquelle gisait une joie inhumaine et tragique.

Les Allemands étaient couchés, un « Ranger » leur avait ôté leurs bretelles et leurs ceintures. Ils essayaient de se protéger du soleil de leur mieux. Le brancard du dernier blessé posé sur deux pierres, ils s'étaient couchés, alignés, la tête à l'abri sous la couche du moribond dont le râle ne s'arrêtait pas. Les mouches avaient fait leur apparition et le malheureux ne se défendait plus contre leurs essaims noirs agglutinés sur les taches de sang et les plaies qui les polarisaient.

Leith les regarda, indécis, installés dans une sorte de paix animale qu'il leur envia.

Il leur adressa la parole en allemand. Surpris, sur la défensive, ils se glissèrent hors de leur abri. Il interpella l'officier qui se leva en tenant son pantalon.

— Votre nom ?

— Hans Lutze.

Il était jeune et ressemblait à Barton. Un regard plein de certitudes tranquilles. Leith fut embarrassé pour continuer. L'autre attendait, l'examinant sans insolence, avec une légère curiosité.

— D'où êtes-vous ?

Il eut peur qu'il ne se cabrât devant une question pouvant signifier « A quelle unité appartenez-vous ? » et il ajouta, avec un demi-sourire, comme pour lui-même :

— En Allemagne, naturellement.

L'Allemand était intrigué. Il contenait mal le compliment qui lui brûlait les lèvres : « Vous parlez bien l'allemand. » Il se sentait en confiance, presque fier qu'un étranger s'exprimât impeccablement dans sa langue.

— De Wildbad, dans le Schwartzwald.

— Je connais.

Un long silence s'installa entre eux, peuplé des souvenirs de leur vie d'homme, riche de joies. Ils se retrouvaient, loin, au delà du Johannesberg, près du lac sauvage, dans cet étrange paysage spongieux de terres nordiques, planté de sapins nains et de bouleaux frêles, inattendus au milieu de la grande forêt noire où déambulaient les cerfs.

— Wildsee, dit à mi-voix Leith.

— Wildsee, répéta Lutze.

Il sembla à Leith qu'il n'irait pas plus loin. Que rien ne pouvait être dit de l'essentiel.

— Vous parlez très bien l'allemand.

— Oui, j'ai été deux ans élève de Berckhemer.

Il avait hésité, mais il pensa qu'il lui fallait conquérir Lutze. Celui-ci hocha la tête avec déférence. Leith se rendit compte qu'il venait de dresser une barrière entre eux. Il n'aurait plus qu'un auditeur empressé à l'écouter, plein de respect et de considération. Alors, il se livra brutalement.

— Où croyez-vous que votre stupide folie vous conduira ? Ne me parlez pas du Führer et du reste. C'est de vous qu'il s'agit. Allez, quel plaisir, quelle satisfaction y trouvez-vous ?

L'Allemand ne répondit pas.

— Il fait frais et doux au bord du Wildsee,

sur ce banc que vous connaissez, les pieds dans la mousse humide. Alors, parlez.

— Je ne veux pas discuter de mon cas. Nous voulons mériter notre existence d'Allemands et nous accepterons pour cela tous les sacrifices.

— Taisez-vous, phonographe stupide. Ecoutez-moi, Lutze. Je veux savoir si vous aimez vous battre, si la bataille vous apporte quelque chose, à vous, qui vous soit une révélation confusément attendue de la vie, lorsque vous rêvez au bord du lac sauvage, au creux de la forêt.

L'Allemand, surpris, regardait Leith qui pensa aussitôt à Barton, à qui il aurait pu poser la même question, si un reste de vanité ne l'avait retenu.

— Je ne comprends pas votre question, dit Lutze.

Il eut envie de le gifler et de voir quelle serait sa réaction.

— C'est une occupation naturelle, n'est-ce pas ?

Il songea à Brand, à Barton. Ni les uns, ni les autres ne pensaient à eux. Humilité, soumission ou stupidité ? Tout ensemble sans doute, à moins que ce ne soit par un absurde renoncement de l'individu se sacrifiant à plus haut que lui. « Imbéciles ! »

— Lutze, prenez ce poignard. Achevez-moi ce blessé qui geint. Vous lui rendrez service ainsi qu'à ceux qui le portent. Il n'en a plus que pour quelques heures.

Un éclair de stupeur passa dans les yeux de

l'Allemand, puis il redevint raide, glacé, une pointe de mépris dans l'attitude.

Leith se mit à rire.

— Vous voulez bien tuer, mais dans le confort de votre conscience. Vous pensez qu'il faut donner une chance à l'adversaire, mais vous vous mentez ; vous avez mis d'abord les atouts de votre côté, du moins vous le croyez, sans cela vous ne lui donneriez pas sa chance. J'ai compris cela à Benghazi, Lutze. Vous tuez pour une cause, pensez-vous ; à l'abri de ce paravent commode, vous jouissez derrière votre mitraillette quand l'adversaire tombe. Mais qu'est-ce qui vous arrête là, devant ce blessé ? Allez-y, c'est ce qui m'intéresse. C'est la peur, la peur, Lutze, devant le sacrilège, confuse, inexprimée. Ce n'est pas parce que ça ne se fait pas, car, voyez-vous, ça se fait. Je le sais. C'est parce que vous êtes des lâches devant vous-mêmes. Vous pouvez tuer dans les règles, au nom de je ne sais quel idéal en faillite, comme toujours, mais vous ne pouvez pas tuer sans son support, car vous savez alors que vous commettez le crime contre l'Homme, contre vous. Pour vous suicider, vous auriez encore besoin d'excuses envers vous-mêmes, n'est-ce pas ? Lutze, nous ne sommes que des lâches. Nous ne voulons pas regarder en face les hommes que nous sommes. Vous croyez en l'Allemagne parce que vous ne pouvez pas croire en vous. Barton croit en l'Angleterre pour la même raison. Je sais que l'Allemagne, l'Angleterre et le reste ne sont rien, n'étaient rien hier, ne seront rien demain. Mais les hommes seront toujours là, il faudra qu'ils trouvent d'autres raisons extérieures à eux-mêmes de vivre ou de se tuer, ou bien qu'ils justifient enfin en elle-même leur existence, quand ils seront las des échecs.

— Vous êtes croyant ?

La question frappa Leith. Il aboutissait toujours à cette issue. Il se reprit, passa la main sur son visage mince et brun.

— C'est à la fois le premier refuge et le dernier depuis que les hommes existent. Un beau travail d'imagination. Et vous ?

— Non.

— Alors vous êtes encore plus pitoyable et incohérent que je ne le pensais. Vous auriez quelque excuse à refuser d'achever ce malheureux.

Las, il s'assit sur le sol sans plus se soucier de l'Allemand, qui restait debout immobile, les mains sur le ventre, ne sachant que faire. Puis Leith se releva et, sans un mot, alla retrouver Barton qui dormait à l'abri de son burnous. Il se sentit seul, dans un monde auquel il était étranger, pour l'avoir trop bien compris.

A la tombée du jour, ils reprirent leur marche. Des chiens se mirent à hurler dans le lointain. Leith donna l'ordre de s'arrêter et partit seul en avant en direction de M'Sous, dévalant le flanc de la dépression. De menus signes lui révélèrent les approches d'un village et il fut bientôt sur une piste. De plus en plus violents, les aboiements trouaient la nuit. Tout à coup, il entendit un murmure dans les éboulis, sur sa droite, et se rendit compte qu'il entrait dans la vallée de l'oued. Il marqua un temps d'arrêt, puis, lentement, se glissa dans la direction du bruit, tous les sens en éveil. Pour la première fois depuis le début de son aventure, il s'abandonnait. Une sourde exaltation s'empara de lui, en avançant entre les pierres, souple et tendu. Les bruits avaient cessé. Seul, le hurlement à la mort des chiens montait dans la nuit en longues ondes, amplifié par l'écho, rebondissant sur les falaises de l'oued.

Il resta allongé, sondant les reliefs fantastiques sous la lune qui se levait. Dix fois, il crut voir remuer les rares buissons. Dix fois, il se rendit compte de son erreur. Un immense et merveilleux sentiment de solitude l'envahit tout entier. Il était libre et disponible, sans autre responsabilité que de lui-même. Il jouait, intelligence et sens en éveil, contre un inconnu menaçant, perdu dans le désert, sous le « silence immobile des étoiles ». Cette impression ignorée de plénitude ne laissait pas de place à sa pensée, ni à la peur. Une pierre qui roula le fit se retourner doucement comme si l'air lui-même ne devait pas être ébranlé par un mouvement brusque. Maître de lui, il attendit. Puis, précautionneusement, il prit une pierre au creux de sa main et la jeta vers sa droite, le plus loin qu'il put, en ayant soin de ne pas faire de bruit. Il entendit sa chute, suivie d'un léger glissement aussitôt couvert par un aboiement. Un sourire enfantin et cruel à la fois l'effleura.

Il crut rêver quand il entendit une voix près de lui :

— Je t'ai senti. Ne crains rien, c'est Mokrane.

Leith se leva en riant de son piège inutile. A moins de dix mètres, il aperçut le Bédouin qui venait vers lui, souple et silencieux. Ils restèrent face à face quelques instants, puis Leith lui posa la main sur l'épaule.

— Qu'Allah te protège ! dit l'Arabe.

Leith s'arracha à l'émotion qui l'envahissait. Il pensa qu'il était quelquefois bon de vivre et de ne pas se sentir seul.

— Où est le capitaine Brand ?

— Près d'ici.

— Allons d'abord chercher Barton et les autres.

— Alors, Leith, que s'est-il passé ?

Ce fut tout l'accueil de Brand. Leith n'avait pas eu le temps de placer un mot. Il regarda le capitaine avec un sourire ambigu.

— Barton vous rendra compte, Sir.

— Pourquoi Barton ?

— Parce que je n'ai rien fait, mais le petit Barton s'est conduit comme un...

Il hésita sur le mot « héros » qui lui paraissait toujours si enflé...

— Un vrai chef.

Il souriait toujours et Brand vit une allusion désagréable pour lui dans le ton de Leith.

— Appelez Barton.

— Il va venir, dit Leith en s'asseyant.

— En somme, rien d'important, puisque vous êtes déjà ici.

— J'ai pris la route que Mokrane avait indiquée, nous avons gagné une nuit de marche.

— La mienne était plus sûre.

— Il ne nous est rien arrivé.

— Ces coups de feu...

— Quatre voitures de patrouille, laissa tomber Leith, en observant Brand.

— Mais alors, nous sommes repérés !...

Et il s'agita, comme sur le point de se lever.

— Ne vous mettez pas dans cet état, Sir.

— Comment ?

— Rien. La voiture-radio a sauté d'abord. Vous n'avez rien à craindre. Dans l'immédiat du moins.

— Je ne crains pas pour moi, lieutenant Leith.

— Vous avez de la chance, Sir ; chacun de nous, je crois, craint d'abord pour lui-même.

Barton arrivait. Il salua Brand qui se leva et lui frappa sur l'épaule, jovial, en disant :

— Je suis content de vous revoir. Racontez-moi ce qui vous est arrivé.

Surpris, Barton se tourna vers Leith amusé par le changement d'attitude du capitaine.

— Oui, c'était à vous de rendre compte. Je suis arrivé après la bataille.

Barton raconta son engagement, en quelques phrases ; le feu de l'action éteint, son mémorable direct à la mâchoire de l'Allemand avait perdu tout son charme. Il dressa un bilan des prisonniers, des morts et des blessés. Brand l'écoutait sans dire un mot, approuvant d'un mouvement de tête. Quand il en arriva aux blessés, il s'arrêta, embarrassé, et se tourna vers Leith. Brand dont le visage s'était fermé guetta la réaction de Leith. Il devina que quelque chose les séparait dont Barton faisait grief à Leith, et s'en réjouit.

— Alors, Leith, vous étiez là. Que s'était-il passé avec les blessés ?

— Achevés sur place, sauf deux, d'ailleurs morts en route. — Et il ajouta, comme un défi à Brand : Fatigue inutile.

— Vous les avez achevés, Leith ?

— Vous n'avez pas compris ? C'est un compte rendu écrit que vous voulez, Sir ?

Barton fut choqué par le ton de Leith.

— Lieutenant Leith, vous aurez à en rédiger un en temps voulu.

Leith se leva.

— Je suis à vos ordres, Sir, mais je ne comprends pas votre surprise. Vous connaissez aussi bien que moi nos instructions. Nous n'avons pas à jouer les hypocrites devant Barton qui vient de prouver sa valeur. Les laisser agoniser en plein désert, risquer qu'ils puissent, avant de mourir, renseigner l'ennemi, ou bien . . . leur rendre service et à nous aussi peut-être, qu'auriez-vous fait ? J'en prends toute la responsabilité. Je crois qu'il est préférable de s'en tenir là.

Leith se tenait droit, méprisant, furieux et douloureux à la fois. Barton se tourna vers lui. Leith lui apparut, hagard, arrivant avec son cadavre sur le dos.

— C'était juste, Sir, dit-il.

— Nous verrons, Barton, s'il était juste d'achever les blessés et surtout d'attaquer ce commando. Sa disparition donnera l'alerte. J'ai le sentiment que vous avez tous les deux perdu la tête.

Barton eut un mouvement d'impatience qui n'échappa pas à Brand.

— Ceci n'enlève rien à votre courageuse action, Barton . . . même si elle fut inconsidérée. Nous allons avoir toutes les patrouilles à nos trousses d'ici peu. J'espère qu'avant l'aube nous aurons trouvé Evans.

Barton s'éloigna, envahi d'amertume, comme un enfant auquel on a refusé sa croix de bonne conduite. Brand lui fit l'effet de « Barton, Barton et C° », quand il amenait une affaire importante à la firme, plein d'enthousiasme, et que le vieux Barton le calmait en énumérant les embûches, les pièges qui pouvaient se dresser avant sa conclusion définitive. Le soir, sa mère prenait son parti tout en l'irritant. Ici, il n'y avait personne pour prendre son parti. Il chercha Leith, le trouva près de Mokrane et fut sur le point de s'en aller. Ce fut Leith qui l'appela et l'Arabe s'écarta.

— Ne vous inquiétez pas, Barton. Reposez-vous ! Nous avons tous les nerfs un peu surmenés.

— Oui.

— Brand nous eût préférés tous morts, car il était sauvé. Les Allemands n'auraient pas cherché plus loin et il rentrait en toute quiétude : « Mission accomplie. » Je vous parais cynique, Barton, n'est-ce pas ?

— Je ne sais plus, Leith. Je ne comprends pas son attitude. Il m'a bien accueilli pourtant . . .

— C'était devant moi, pour vous mettre de son côté. Il est affreusement seul, d'une solitude qu'il n'a pas cherchée, que les autres lui imposent, Barton, parce qu'il ne sait pas ce que c'est qu'un homme. Il tient le rôle d'un officier, d'un chef tel qu'il l'imagine, c'est tout. Moi, je n'ai pas même eu droit au bon accueil, comme vous, car nous étions sans témoin.

— Pourquoi prétendre que nous avons perdu la tête ? Je ne pouvais pas faire autrement quand je suis tombé sur cet Allemand auprès des véhicules.

— Parce qu'il a peur, Barton . . . Mais croyez-moi, ni Brand ni moi n'aurions réussi ce que vous avez fait. — Il sourit à Barton. — Je témoignerai pour vous au Q. G., Barton et . . . j'envie votre innocence aussi.

Le ton pris par la conversation gêna Barton. Leith lui apparut comme un être inconnu et changeant, si dur et si tendre, tour à tour, dépourvu de pudeur dans l'expression de ses sentiments, parlant un langage auquel il n'était pas habitué, rappelant quelquefois un peu celui de sa mère, et il en fut contrarié. Il ne sut que répondre.

Réfugié dans l'ombre d'un marabout délabré, pénétré d'une joie profonde effaçant jusqu'au souvenir des dangers et des souffrances, le commando reposait.

Il ne restait plus qu'à attendre Evans. Le puits était ensablé, mais qu'importe, dans quelques heures ils seraient dans la dépression et trouveraient un autre puits.

Les corps gisaient dans la pénombre. Une lourde odeur de sueur emplissait la pièce. Brand les avait fait taire, par crainte de la proximité du village qui risquait de les repérer. Les silhouettes se confondent si bien avec les rocailles. Un homme silencieux pouvait passer, se révéler un instant et disparaître sans se faire remarquer. Alors, la nouvelle irait vite . . .

On eût dit des esclaves épuisés, au fond de la cale d'un navire immobilisé par le calme plat. Un chuchotement, un homme qui s'étirait, troublaient seuls le silence. Quand un ronflement s'élevait, d'un coup de coude ou de pied le dormeur était invité à plus de discrétion.

Dans la moiteur de la pièce surpeuplée, Leith se sentait gras d'une crasse humide qui l'écœurait. Il eût voulu sortir, sécher cette sueur collante au soleil.

— Les Arabes ont une crasse sèche, dit-il à Barton. Nous autres, nous sommes comme les Juifs des Mellahs, c'est une crasse humide et dégoûtante.

Barton fut choqué.

Brand tourna la tête, courroucé. Il était inquiet de l'absence d'Evans au rendez-vous. Il est vrai que les pâturages étaient plus au sud, que le sergent ne devait envoyer chaque soir qu'un chamelier au marabout, or la journée n'était pas achevée. Il fallait attendre. Leith avait dit en arrivant :

— Curieux, il n'y a pas de traces de chameaux, ni de fientes, rien, pas un signe de passage.

Brand n'avait pas réagi, afin de cacher son inquiétude. Si Evans n'était pas là, que feraient-ils ? Des jours et des jours, ils devraient avancer sur la piste désertique. Ils y resteraient tous. Il envisageait de piller la zériba au passage, de s'emparer coûte que coûte de quelques bêtes pour échapper à l'étreinte de ce désert qu'il ne supportait plus. Ses nerfs le lâchaient, il s'en rendait compte, ses poignets étaient douloureux. Son isolement lui pesait et il avait envie de pleurer. La tentation de l'amitié le visitait. Leith étant son ami, tout eût été plus facile à supporter ; il le savait fort. Pourquoi Leith le méprisait-il à ce point ? Il redoutait de se l'avouer et préférait croire que c'était par orgueil, blessé de n'être que le second, ou jalousie de le savoir aimé de Jane. Aimé, il n'avait jamais éprouvé le besoin de l'être comme en cet instant, au plus fort de sa solitude. Il tourna la tête vers Leith qui l'observait d'un regard neutre.

« Il est pathétique dans son angoisse. » L'esprit de Leith s'arrêta sur cette idée et il esquissa un sourire qu'il désirait amical. Devant le visage tourmenté et nerveux, sur lequel passait le désespoir, la pitié entrait en lui. Brand ne saisit pas l'instant où cette chaleur lui était offerte. Il n'y vit qu'une sorte de condescendance amusée et se sentit l'âme à nu devant Leith. Il se retourna, comme s'il n'avait rien vu.

Leith hocha légèrement la tête. « Rien ne sert à rien. » Il eut envie de secouer Brand, de le battre comme un enfant vaniteux et sot, de le corriger. Déçu, il lança, cruellement, pour se venger et le punir :

— C'est pas drôle tous les jours de faire joujou à la guerre.

— Vous dites ?

— Je pensais tout haut.

— Mettez une sourdine, bon Dieu !

— Je n'aime pas les grossièretés, Sir.

Les hommes s'étaient haussés sur le coude. Brand n'insista pas, mais un désir de meurtre le traversa. Leith ne le respectait même plus devant les hommes. C'était la première fois. Il lui glissa un regard et il fut soudain réjoui de le découvrir triste, las. Alors, il s'approcha de lui et se mit à parler à mi-voix :

— J'ai été brutal, Leith. Il le fallait, la discipline est pour nous tous.

— Faites-moi grâce de ces platitudes réglementaires.

Le moment était passé une fois de plus. Ils avaient repris la distance de leur haine. L'angoisse de Brand se fit plus oppressante. Leith reprit, comme pour l'accabler encore :

— Vous savez que les hommes n'ont plus d'eau ou presque. Nous allons commencer à voir les fauves se réveiller si Evans n'est pas là ce soir.

— Il n'y a aucune raison.

— Toutes les raisons. Et parlez plus bas, Brand. Vous ne sentez donc rien. Avez-vous observé Wilkins et quelques autres. Avant peu . . .

— Ce n'est donc pas le moment de nous laisser aller à notre nervosité, quels que soient nos griefs réciproques, Leith.

— Quels griefs ? Vous en avez contre moi, Brand ?

— Peut-être.

— Expliquez-vous, alors.

Ils chuchotaient et le visage de Leith s'était fait attentif. Il attendait Brand, prêt à l'estimer s'il allait jusqu'au bout de sa pensée. Mais l'autre ne se décidait pas.

— Alors ? dit Leith.

Il avait parlé un peu trop haut.

— Alors, alors . . . Vous allez la fermer, qu'on dorme un peu.

C'était Wilkins, à l'autre bout de la pièce, qui protestait.

Leith saisit le poignet de Brand, déjà prêt à faire un éclat.

— Wilkins, dit Leith d'une voix calme, si vous êtes vraiment gêné, vous pouvez sortir...

— Merde ! J'en ai assez. Qu'est-ce qu'on branle ici ? Qu'est-ce qu'on fout ? Nom de Dieu ! Vous êtes tous des enculés...

Il s'était dressé, les autres se levaient et Barney essayait de le calmer, de le faire asseoir. Mais Wilkins se débattait.

— Je vais tous vous crever. Je ne veux pas y rester par vos conneries. Qu'est-ce qu'on attend pour aller dérouiller le village ? J'ai soif, moi.

Il avançait vers le carré de lumière de la porte en essayant de sortir sa mitraillette des plis de sa djellaba. Mokrane le plaqua au passage et Wilkins s'écrasa sur les autres. Leith, sans un mot, s'approcha de lui et le désarma. Avant qu'il ait eu le temps de se rendre compte de ce qui lui arrivait, Leith l'avait remis debout. Le soldat recula comme pour prendre sa distance d'attaque.

— Tout le monde debout, dit Leith, et excusez-moi de déranger votre repos. Wilkins, donnez-moi votre poignard.

Ils se trouvaient face à face dans la lumière de la porte. Leith eut tout à coup le sentiment aigu de jouer une pièce de théâtre. L'homme écumait de fureur, une bave blanche filtrait aux commissures des lèvres. Un instant, Leith souhaita que le couteau de Wilkins le délivrât.

Les hommes ne bougeaient pas, comme s'ils eussent eu peur qu'un mouvement, un bruit déchaînât la crise de folie furieuse qu'ils sentaient sur le point d'éclater.

Leith le regardait droit dans les yeux ; il avançait doucement à portée de Wilkins ; insensiblement, sa main se tendait d'un geste lent vers l'arme. Brand avait sorti son revolver. Il se prit à admirer Leith, puis il désira lui ôter la victoire. Ce fut Barton qui dit à mi-voix :

— Non, Sir, et l'empêcha de tirer.

Leith s'empara du couteau sans violence. Wilkins, paralysé, pâlissait comme s'il se vidait de son sang. Puis il s'écroula.

— Faites-lui une piqûre, Barney. Vous autres, il faut tenir jusqu'à ce soir. Nous aurons de l'eau, je vous le promets . . .

Wilkins sanglotait. Les hommes le regardaient, stupéfaits, apitoyés. Puis, il se mit à délirer.

— Il faut les tuer tous, tous jusqu'au dernier.

Sa voix coulait monotone, créant un malaise. Comme une litanie, il récitait sa haine et sa douleur dans la pénombre.

— Faites-le taire, dit Brand, nous finirons par être repérés.

— On n'y peut rien, sinon attendre que la piqûre soit faite et agisse.

Comme s'il avait entendu Brand, Wilkins fut pris de fureur. Son débit devint plus rapide.

— Un salaud, une vache de capitaine, qui me fera crever avec sa gueule de cocu. Mad, je dois tous les tuer... Mad, tu t'en fous pas mal... salope.

Leith le soupçonna de simuler son délire. Il le tira près de la lumière et lui souleva les paupières. Les yeux étaient un peu décentrés, une bave gluante filtrait des lèvres. Il crut reconnaître l'odeur aigre d'un corps en crise.

— C'est un ancien boxeur, Sir, il doit avoir quelque chose au cerveau. Un décollement. Il a dû être contrarié aujourd'hui, à bout de nerfs, comme nous le sommes tous, cela a suffi.

Brand se crut visé. Il s'apprêtait à répondre quand la voix de Wilkins reprit, lente et irréelle.

— Barton, une connasse de petite vierge qui ne se sent plus parce qu'il a une étoile.

Barton rougit. Il découvrait tout un monde qui lui avait échappé jusqu'ici. Il n'avait jamais imaginé que des soldats pussent porter de tels jugements sur leurs officiers. Un abîme s'ouvrait devant lui et il n'osait plus regarder les hommes. Leith lui mit la main sur l'épaule et l'attira contre lui en souriant. Barton fut malheureux du geste de Leith, comme si celui-ci confirmait l'équivoque.

— Non, Leith...

— Leith, ah ! Leith... il ne sait pas rire, encore un qui n'a pas baisé son saoul. Il s'envoie le Mokrane... la jolie petite Mokrane... Moi aussi, je l'aurai... C'est pas une vache pourtant... Leith, y a que lui qu'est un homme.

Mais, qu'est-ce qu'il attend pour crever ce salaud de capitaine ? . . . Pardon, Sir.

Et les sanglots reprenaient. Dans un hurlement qui tendit son corps comme un arc, il cria :

— Sir, ne me faites pas fusiller. Pardon, je ne voulais pas vous tuer, vous, Leith . . . Je ne voulais pas.

Puis, le corps retomba dans un dernier spasme.

Mais Leith pâlit de fureur et, se penchant, en arrêtant Barney qui préparait sa seringue, il empoigna Wilkins par le col et le redressa. Un éclair traversa les yeux de Wilkins. Alors, Leith lui envoya deux gifles sèches qui claquèrent.

— Salaud. Finis ta comédie.

Les hommes étaient médusés, révoltés par cette violence.

— Lève-toi, ou je vais t'achever.

Et Wilkins se leva. La tête rentrée dans les épaules, un air sournois et terrorisé.

— Il faudra retourner à l'école de Dartmoor où tu as appris le truc . . . mal appris, d'ailleurs. Combien d'années as-tu tirées là-bas ?

— Cinq ans.

— A partir d'aujourd'hui, tu porteras la charge de celui qui sera le plus fatigué, une heure sur deux. Les lâches n'ont pas leur place ici. Si tu avais quelque chose à dire, il fallait le dire en face. Tu n'es rien qu'un faux dur. Tu seras désarmé jusqu'à l'arrivée. Maintenant, si tu n'es pas d'accord, je suis à ta disposition, d'homme à homme.

Leith lui envoya encore une gifle d'un revers

de main, puis, fixant chaque visage l'un après l'autre :

— N'est-ce pas, vous autres des Rangers ?

Il y eut une détente. Leith se sentit las. Il se tourna vers Brand qui n'était pas intervenu, affolé, ne sachant quelle attitude prendre.

— Excusez-moi, Sir, dit-il à mi-voix. Voulez-vous que nous sortions un instant ? Nous avons été interrompus par ce mauvais comédien.

Brand obéit. Ils allèrent s'adosser à la murette du marabout.

— C'est une situation que le règlement n'a pas prévue, — dit Leith avec une pointe d'ironie, — mais je crois que Wilkins a dû être poussé à bout pour en arriver là.

Brand crut à un reproche.

— C'est une canaille.

— Nous en sommes tous, dit Leith comme pour lui-même... Je n'ai fait que jouer la comédie moi aussi, la comédie du chef !

— Pourquoi n'êtes-vous intervenu que lorsque vous avez été mis en cause ?

Leith lui jeta un long regard.

— Avec vous, Brand, c'est sans espoir, dit-il. J'attends maintenant vos griefs.

Brand était en plein désarroi. « Avec sa gueule de cocu »... Il se répétait les mots. Les soldats eux-mêmes savaient... Il était seul à l'ignorer... Pourtant sa femme n'était jamais venue le visiter au camp d'entraînement. Il répondrait à Leith. Il le contraindrait, mais pas maintenant. Un long moment passa avant qu'il ne se ressaisît.

— Admettez que je n'ai rien dit, Leith.

Les questions se nouaient dans sa gorge. Il eût voulu dire : « Allons, avouez que vous me haïssez parce que vous aimez Jane. » Il devait ruser avec l'arme que venait de lui donner Wilkins. Maintenant, il abattrait Leith tôt ou tard.

— Vous rendez-vous compte, Leith, de la gravité de l'accusation portée contre vous par Wilkins ?

Leith toisa Brand, ne sachant ce qu'il allait faire. Répondre, le battre ou s'en aller ? L'attaque le surprenait. Ce ne pouvait être le grief auquel il avait fait allusion avant la crise de Wilkins.

— Je pensais bien vous connaître, Brand. Eh bien, non, vous vous surpassez en ce moment.

— Une question, Leith. Wilkins délirait-il ou bien simulait-il le délire pour nous dire ce qu'il pensait de nous tous ? Vous avez, me semble-t-il, répondu par avance, n'est-ce pas ? Alors, à l'arrivée, les hommes répéteront ce qu'ils ont entendu . . .

— Continuez. Ou préférez-vous que j'achève ? Oui ? . . . Et le capitaine Brand déposera son rapport au Q. G. sur la conduite du lieutenant Leith et d'un indigène, en s'appuyant sur le témoignage de Wilkins. Et sur d'autres, vous n'en manquerez pas, maintenant que les ragots de Wilkins vont occuper leur imagination. C'est la dégradation. Une belle revanche, n'est-ce pas ?

— Je n'ai pas dit que je déposerais un rapport. Je dis que votre situation est fort délicate maintenant. D'ailleurs, vous avez défendu Mokrane contre moi.

— Votre imagination malsaine vous joue des tours, Brand. Mais qu'est-ce que vous attendez de moi ? Vos griefs n'étaient pas ceux-ci, il y a une heure.

— Fini, Leith, de me considérer comme négligeable. Je vous aurai un jour. Wilkins m'a ridiculisé devant les hommes et je comprends pourquoi ils vous obéissent plus volontiers qu'à moi. Vous le paierez, tous les deux.

— Ah ! c'était cela, depuis le début, votre jalousie et votre peur . . . Sir, je crois que nous n'avons plus rien à nous dire. Vous êtes méprisable, vous pourrez ajouter cela sur votre rapport. Je n'entends avoir avec vous de relations que pour le service.

Leith se leva et rentra dans le bordj. Il alla s'asseoir, à l'écart, dos au mur.

Les hommes chuchotaient entre eux. Quand Brand entra, le silence se fit, total. Il en éprouva de la colère. Ils parlaient de lui, sûrement. Il était mécontent de n'avoir pas su tirer parti de l'occasion qui lui était offerte. Leith n'avait pas levé le doute. Pas plus que le mot de Wilkins ne lui apportait de certitude. Peut-être était-ce une injure gratuite. A Ismaïlia, Jane n'avait guère la possibilité de dérober du temps pour une aventure avec Leith. Pourtant leur connaissance paraissait plus profonde, plus intime que celle de deux personnes qui se voient pour la première fois et se rencontrent très rarement par la suite. Il ferait avouer Leith, il avait maintenant une prise terrible sur lui. C'est Leith qui allait avoir peur du retour, maintenant.

Comme pour le braver, il l'entendit qui appelait :

— Mokrane !

Il y eut un mouvement de corps, quelques grognements. Leith et le Bédouin chuchotèrent un moment, puis la silhouette de l'Arabe se découpa dans la porte.

— Où allez-vous, Mokrane ?

C'était Brand qui l'interpellait. Leith répondit :

— Je l'envoie reconnaître les abords du village. Lui seul peut passer inaperçu. Et peut-être ramener de l'eau.

— Personne n'a ici de domestique personnel. Mokrane attendra mes instructions.

Le silence retomba. Impénétrable, l'Arabe s'accroupit sur le sol. Les heures s'écoulaient lentement, coupées par des gémissements d'hommes qui rêvaient. Wilkins surveillait Leith assoupi. Barton s'était rapproché de Brand. Celui-ci vit en lui un soutien. Il ne s'était jamais posé de questions au sujet de Barton. Après son fait d'armes, il devenait un atout précieux, s'il l'avait à ses côtés.

Des aboiements de chiens très proches troublèrent le silence. Brand sursauta. Le Bédouin s'effaça légèrement du rectangle lumineux de la porte. Les aboiements se rapprochaient, plus furieux, semblait-il. Tous les hommes s'étaient dressés, attentifs. Mokrane se tourna vers Leith qui lui fit un signe. L'Arabe se leva et sortit avant que Brand ait pu le retenir.

— Ne bougez pas, Brand, dit Leith. Il les égarera et, s'ils sont accompagnés, mieux vaut qu'ils n'arrivent pas jusqu'ici.

Leith avait repris l'avantage. Brand, une fois de plus, lui en voulut. Au bout d'une heure, Mokrane n'était pas rentré. Le soleil était déjà bas et la lumière rasante du soir teintait le désert de grandes ombres mauves. Dans quelques minutes, ce serait la nuit, le ciel glacé.

La peur du froid nocturne envahit les hommes. Ils étaient plongés dans une torpeur tiède, un peu fiévreuse, et il leur semblait qu'ils ne pourraient pas se lever, repartir. Ils avaient moins souffert de la soif, à l'ombre du marabout tout au long du jour. Pour la première fois, Leith, au milieu d'eux, ressentait une sorte de quiétude animale. Il était loin des incidents de l'après-midi. Vide de pensée, lové sur le sol, il rêva aux Arabes des grands ports qui dormaient ainsi, là où leurs pas les avaient traînés, n'ayant pour toute fortune que leur misérable djellaba, se nourrissant du peu qu'ils avaient chapardé ou gagné, en portant les valises de quelques touristes, en indiquant une adresse louche. Ils allaient boire aux fontaines, rêver des heures au bord de la mer comme leurs ancêtres devant le désert. L'esprit aiguisé dominant un corps d'ascète sans besoins, ils attendaient ainsi le paradis promis où couleraient des sources de miel dans des jardins pleins de fruits, peuplés de femmes aux hanches lourdes et toujours offertes. Lui n'était que l'apparence de ces seigneurs de la paresse, dépouillé de leurs rêves ; tel quel, cependant, il éprouvait une curieuse satisfaction, une étrange sensation de paix avec lui-même. Il entrevoyait dans cette soumission animale la réponse à ses questions, dans un renoncement définitif. Encore fallait-il pouvoir aller jusqu'au bout de l'expérience. Il restait replié, sans aucune envie de bouger, d'entendre Brand, de rentrer dans cet ordre absurde qui le détruisait. C'était si agréable de n'avoir plus d'orgueil d'homme, de pouvoir s'abaisser jusqu'à n'être plus que cette bonne bête qui se soucie uniquement de vivre dans sa chair impérieuse, satisfaite de sommeil et de désirs. Il ouvrit les yeux, regarda les ombres des corps gisants en désordre, écouta le bruit des respirations. Toute une vie d'odeurs fortes, de muscles détendus emplissait le marabout, à laquelle il se sentait appartenir et qui lui restituait son innocence première. C'était bien la peine d'avoir fait un tel chemin pour se retrouver devant cette évidence que toute sa vie il avait voulu nier. Il renonçait. Le mot le troubla. C'était une défaite. Sa quiétude disparut, balayée. Repris dans le piège des souvenirs, du jeu meurtrier qu'il avait accepté et qui ne s'oublie pas si facilement, il songea aux hommes qu'il avait achevés. Springer, il l'avait rayé d'un ordre qui ne supposait pas le malheur ; les bras chauds de Dora, les seins lourds de Dora, c'était un ordre d'amour... que lui, Leith, avait refusé et qui lui était maintenant tout aussi fermé que celui du renoncement. Il devrait payer, jour après jour, dans la solitude, puisqu'il l'avait construite, voulue, jusqu'à la mort.

— Leith, Barton, voulez-vous venir ?

Le capitaine, impatient, les appelait. Leith pensa qu'il devait y avoir longtemps que Brand en avait envie. Il ne bougea pas, si bien dans sa chaleur, comme dans un autre monde à lui seul, le sien.

Le ton devint plus impératif.

— Leith !

Impossible d'y échapper, il fallait renouer, reprendre la vie là où il l'avait laissée avec tout son poids de haine, de sang et de misères inutiles.

— J'arrive, dit-il.

Brand avait repris une assurance que Leith décela dès l'abord.

— J'ai décidé que le lieutenant Barton partira avec quelques hommes pour effectuer notre ravitaillement en eau.

— Vous parlez arabe, Barton ? dit Leith d'une voix calme.

— Mal.

Le duel reprenait.

— Il n'y a nul besoin de parler arabe pour remplir des guerbas.

— Et le ravitaillement ? Les hommes n'ont plus rien ou presque, dit Leith.

— Nous verrons quand Evans sera là ce que nous devons faire à ce sujet.

Barton se levait pour choisir ses hommes quand Mokrane entra. Il alla directement vers Leith et déposa à ses pieds une outre d'eau et un lourd couffin de dattes. Il souriait comme un enfant.

Brand voulut intervenir, mais il fut désarmé par l'Arabe qui les regardait tous les trois avec le même air tendre, candide et victorieux à la fois. Il attendait, tout innocence et joie. Ce fut Leith qui rompit le silence.

— C'est bien, Mokrane. Veux-tu distribuer cela à tes camarades ... C'est bien.

Il appuya sur les derniers mots et Mokrane se redressa un peu, comme un jeune cheval de sang dont la main du maître a flatté le col.

— Tout cela ne résout pas le problème, dit Brand.

— Nous pourrions l'interroger, avant de prendre une décision.

— Mokrane !

L'Arabe revint vers eux, toujours souriant.

— Interrogez-le, dit Brand.

Leith s'exprima en arabe. La langue heurtée prit dans sa bouche l'allure d'un chant.

— Mokrane, je te remercie. Le capitaine est très fier de toi, moi aussi ... Nous le sommes tous. Si tu n'as pas mangé, restaure-toi ; après, je te parlerai.

— Je suis prêt à te répondre.

— As-tu des nouvelles d'Evans ?

— Quand les bêtes sont trop belles, elles ne sont qu'évadées du paradis d'Allah. Les siennes ont suivi la chamelle noire de Salih le Prophète.

— Naturellement, Mokrane. Mais Evans et ses chameliers ?

— Evans est un guerrier, les autres des femelles. Il reviendra, si Dieu le veut.

— Le village ?

— Ce sont des marchands. Leur langue pèse les mots au poids de l'or que tu leur donnes. C'est une race de chacals. — Mokrane cracha. — Ils ne méritent que d'être volés, pillés. Je les ai volés, car Allah est grand et Il sait.

— Ils sont nombreux ?

— Moins que les rats, mais aussi peureux. Quand tu apparaîtras, ils rentreront sous terre. Je peux leur dire que tu arrives. Les nouvelles vont vite. Ils savent que le grand sultan d'Istamboul est avec toi. L'Amenokal le sait et il est passé venant de Rhat. Ils ne feront rien contre toi. Ils ont peur . . . Mais tu ne peux leur en vouloir. Les chamelles étaient si belles ! C'était un don d'Allah, aussi les ont-ils prises.

— C'est juste, Mokrane, je te remercie.

— Tu es plus grand que mon père.

L'Arabe s'inclina, puis s'assit sur le sol. Leith lui rendit son salut.

Brand fut tenté de lui dire de s'éloigner. Il n'osa pas et se tourna vers Leith.

— Alors, voulez-vous préciser ? Je n'ai pas tout suivi, avec leur goût de la parabole.

Brand était anxieux et Leith, un instant, jouit de la peur que trahissait sa question. Il prit plaisir à le faire attendre, à prolonger son angoisse.

— Nous n'avons plus de chameaux. Ils ont été volés. Les chameliers ont disparu. Evans doit errer quelque part dans la région. Il s'est défendu.

Il y eut un long silence. Celui qui succède aux cris de naufragés sur un radeau, quand le navire de l'espoir s'est éloigné à l'horizon.

Brand quêtait un mot de Leith, une suggestion. Celui-ci s'était tu, décidé à attendre.

— Nous n'avons qu'à partir à pied, dit Barton.

Le capitaine haussa les épaules en le foudroyant du regard. Leith sourit.

Dans l'obscurité, les officiers devinaient les hommes tendus vers eux, les yeux fixes. Ils ne parvenaient pas à croire encore que tout était perdu, qu'ils étaient voués à se traîner et à mourir dans les sables. Ils attendaient un miracle qui ne pouvait pas ne pas se produire.

Le silence durait. Personne n'osait donner de réalité à la phrase de Barton. Tout, jusqu'ici, avait si bien réussi. Ce n'était plus l'ennemi qui les battait. C'était trop bête. Une sordide affaire de pillage par des indigènes. Comme si Mokrane eût été complice, Barney s'écarta de lui et Brand lui en voulut d'avoir été le messager du malheur. Lui trouver une responsabilité l'eût soulagé. En outre, cela atteindrait Leith qui ne disait rien. Il se décida.

— Mokrane.

— Sir ?

— Il faut nous trouver des chameaux au village.

— A cette saison, ce qu'il en reste est dans les pacages du littoral ou peut-être très au sud pour échapper à la guerre, dit Leith.

— Oui, Sir, il reste peu de monde au village.

— Peut-on trouver du ravitaillement ?

— Un peu, Sir.

— Des chevaux, des ânes, pour porter les charges des hommes et les vivres ?

— Je ne crois pas, Sir. Il ne reste guère que des femmes et des enfants... Les autres sont avec les bêtes.

— Qu'en pensez-vous, Leith ?

— Nous ne pouvons rien, Sir.

— Nous allons attaquer, dit Brand.

— Attaquer qui ?

— Je veux dire cerner la zériba cette nuit, prendre tout ce dont nous avons besoin. Ne nous ont-ils pas volés ?

— Et après ?

Leith devina sa pensée.

— Après, nous verrons ce que nous devons faire. J'assumerai toutes mes responsabilités.

— Comme vous l'entendrez.

Brand se tourna vers les hommes.

— Au milieu de la nuit, nous entrerons dans le douar. Je ne veux pas de cris. Personne ne devra sortir de ce village. Barton, accompagné de Mokrane, ira le reconnaître et placera des sentinelles. Nous parquerons la population dans un minimum de tentes ou de « cagnas ». Si vous trouvez des ânes ou des chameaux, Barney, vous les rassemblerez. Le maximum d'outres et de vivres sera réparti en charges ; Leith, vous en ferez la répartition.

Un bruit amorti lui fit tourner la tête. Tous tendirent l'oreille.

— Un chameau, dit Leith.

Le bruit cessa. Un pas précautionneux se fit entendre, un frôlement. Une silhouette se découpa dans la clarté lunaire de la porte.

— C'est cette bonne vieille vache d'Evans, hurla quelqu'un.

Une explosion de rires salua l'entrée du sergent Evans de l'Imperial Camel Transport Corps, vingt ans de carrière.

— C'est pas possible de puer autant, dit-il.

— Evans !

— Excusez-moi, Sir. Je ne voyais rien et cette grande gueule m'a fait croire que vous n'étiez pas là.

Le monde du sergent Evans était en train de chavirer. Pourquoi le capitaine l'avait-il laissé insulter devant les hommes? Il n'était plus en face d'une vraie troupe. C'était l'anarchie. Brand le rappela à la réalité.

— Vous avez perdu vos chameaux, Evans ?

Le sergent fut sidéré et ne répondit pas aussitôt.

— C'est-à-dire que j'ai été attaqué, dit-il ulcéré.

— Par qui ?

— Si je le savais ! Ces foutus salauds sont arrivés au parc la nuit . . .

— Et la garde n'a pas donné l'alerte ?

— La garde avait déjà les couilles dans la bouche, Sir.

— Ils dormaient, alors ?

Evans eut un geste d'impuissance.

— Sir, j'ai quinze ans de bled, ce n'est pas la première fois que ça arrive sans que les gars aient le temps de l'ouvrir ! . . .

— Et les chameliers ?

— Morts.

— Et vous ?

— Moi ?

— Oui.

— Moi ?

Evans se demanda si le capitaine n'était pas devenu fou. Cela expliquerait tout : l'accueil irrespectueux des hommes, cette puanteur de chambrée mal tenue . . .

— Alors, continuez, expliquez-vous ?

— Moi ? J'étais pas là.

Il crut que le capitaine allait se précipiter sur lui.

— Vous n'étiez pas là ! Où, alors ? A M'Sous, en train de dormir avec une de ces putains, pendant que vos camarades se faisaient égorger ? Il aurait mieux valu que cela vous arrive, croyez-moi. Vous en baverez jusqu'au poteau, Evans, je vous le dis.

— Ça alors, ça alors...

Evans ne pouvait plus parler.

— Quarante-quatre chameaux volés, huit hommes morts et nous ici, sans vivres ? Tout cela parce qu'un salaud n'était pas à son poste, ne faisait pas son métier...

— J'étais ici, dit Evans.

— Alors, vous croyez que ça va se passer comme ça ?

— J'étais ici, dit Evans. C'était l'ordre... Toutes les nuits, avec mon chameau, je venais ici vous attendre. Le troupeau restait dans le sud, dans la dépression où il pouvait trouver sa vie.

— L'ordre, c'était de nous amener les chameaux. Vous vous expliquerez à Ismaïlia.

— Merde alors ! fit une voix.

— Quoi ?

Brand renonça à savoir.

— Barton, Mokrane, en route. Nous marcherons à dix minutes. Nous nous arrêterons quand Evans nous l'indiquera, c'est-à-dire juste avant d'arriver au village. Evans vous amènera des hommes pour assurer la garde et nous suivrons aussitôt après. Mes ordres restent les mêmes.

— Et le chameau, Sir ?

— Barney, vous vous occuperez de la bête.

Evans se sentit dépossédé. Il en aurait pleuré. Depuis des jours, il vivait avec sa bête, la cachant, essayant de la nourrir pour la conserver en forme et maintenant on la lui enlevait. Tout cela parce qu'il avait obéi aveuglément. Ce n'était pas sa faute s'il était le seul sous-officier. Il ne pouvait pas envoyer le caporal toutes les nuits. La veille, c'était son tour. Il aurait pu être tué à sa place, c'est possible. Peut-être que non, pourtant : s'il avait été là, il aurait peut-être senti le danger. Savoir si le caporal aurait seulement sauvé sa monture. Pour la première fois de sa carrière, Evans se surprit à ne plus respecter ses supérieurs. Tout l'édifice s'écroulait. Et pourtant il faisait tous ses efforts pour donner raison au capitaine. Au fond, le caporal aurait dû être de corvée tous les soirs, c'était le plus clair de l'affaire. Pour une fois où il avait voulu se montrer un copain, ça lui retombait dessus. Mais quand on vit pendant quatre semaines, à travers le désert, à côté d'un gars qui est presque du même pays que vous, qui a autant de service aussi, c'est difficile d'être vache. Il avait pourtant une bonne réputation, bien établie : « Cette vieille vache d'Evans. » S'il l'avait été, le caporal ne serait pas mort. Là, quelque chose le déroutait. Plus il était vache, plus c'était à lui, habituellement, que ça profitait et, cette fois, c'eût été au caporal. Il se perdait complètement. Et encore, le capitaine avait dit : « Pour une putain. » Où se croyait-il, le capitaine ? Comme si c'était si facile de baiser dans une saloperie de pays pareil, et comme si lui, Evans, n'était pas marié . . . Incroyable que le capitaine pense un truc pareil. Il savait pourtant bien que c'était interdit avec les indigènes. En tout cas, il se défendrait, et puis il y avait le chameau qui était là. Le capitaine ne pouvait pas le nier. Alors ! Si c'était pas une preuve, ça, qu'est-ce qu'il lui fallait ! . . .

7

Ils avaient quitté le village depuis deux jours et avancé plus rapidement. Les pieds recommençaient à saigner. Brand avait voulu forcer l'allure. Le chameau était chargé au maximum. Une demi-douzaine d'ânes et autant de chèvres trottinaient derrière et donnaient déjà des signes de fatigue. Le désert à l'infini s'étalait devant eux, les grandes dunes nécessitaient un effort permanent et augmentaient la fatigue de chacun.

La halte au village n'avait duré que vingt-quatre heures, mais ils en emportaient des souvenirs qui, maintenant, les bouleversaient. Leith avait été impuissant à maîtriser Brand.

Le capitaine avait « fait un exemple ». Nul doute que le vol n'eût été commis par les hommes, disparus de leur village. Ils avaient voué Brand à la mort et personne n'avait plus le droit de vivre.

Le capitaine, muet, marchait comme un automate, plongé dans un rêve terrible. Depuis deux jours, il n'avait ouvert la bouche que pour donner des ordres.

Mais le songe avait surtout commencé la veille, à la halte, quand il avait entendu un homme dire à Barney :

— J'aurais jamais pensé ça du capitaine. Je crois qu'il devient cinglé petit à petit.

— Vous les avez tous molles, dit Wilkins. Moi, je trouve que c'est un homme. J'aurais pas cru qu'il liquiderait toute cette pouillerie.

Les autres l'avaient regardé, surpris. Il s'était éloigné.

Depuis cet instant, Brand flottait dans l'inquiétude. A certains moments, il pensait qu'il avait dû être fou. A d'autres, qu'il avait été un homme, un chef. Où était son devoir ? Il n'avait pas d'exemple, de référence pour l'aider. En fin de compte, ce n'était pas cela le plus grave pour lui. Il attendait dans une terreur affreuse le troisième jour. C'était certain : elles sont toutes malades. Combien de fois n'avait-il pas été arrêté dans son désir, aux Indes, en Egypte. Toujours, il s'était ressaisi à temps. La brochure jaune avait eu plus d'importance sur toute sa vie que les règlements de l'armée. Dans ceux-là, il était à son aise. Il n'avait jamais de conflit à vaincre. Mais la brochure et l'aventure de son père à Bénarès avaient entretenu un perpétuel conflit avec lui-même. Il avait fallu ce village, cette fillette à sa merci dont les yeux s'étaient emplis de crainte. Et toutes les barrières avaient sauté d'un coup. Tout s'était passé avec une soudaineté qu'il ne comprenait plus. Elle ne s'était même pas débattue. Heureusement ; car si l'un de ses hommes l'avait surpris ! . . . Quand il était sorti de la cabane de torchis, il avait bien aperçu Wilkins qui le regardait avec un drôle d'air. Il était temps.

Et maintenant, s'il était malade, ce serait sa fin. Trois, six ou neuf jours, en guettant les picotements. Il prenait ceux de la sueur glissant sur ses cuisses comme le signal fatal. Il se grattait et il était soulagé pour un moment.

En queue de colonne, Barney disait :

— En somme, on s'est mieux démerdé que les officiers. Y a sans doute qu'eux qui ne se sont rien envoyé.

Wilkins sourit. Il pourrait toujours maintenant lui boucler la gueule, au capitaine, s'il ressortait, à l'arrivée, son refus d'obéissance et la scène du marabout : insulte à un supérieur.

— Ça doit être des gars qui travaillent à la force du poignet, des solistes, nos officiers ! dit une voix.

Ils éclatèrent de rire.

— Tu parles, dit Wilkins d'un ton ironique.

Ils parleraient longtemps de l'aventure et ne se posaient pas de questions sur celle-ci.

— Crever de ça ou d'autre chose, tant pis.

Leith, qui marchait près du chameau, entendait des bribes de phrases, et leur enviait leur liberté, cette espèce de tranquille santé animale qui les faisait vivre dans l'instant.

L'unité du commando se fissurait lentement, et il était effrayé pour l'avenir. La distance s'était creusée entre les officiers et les hommes. Plus les difficultés croîtraient, plus il ressemblerait à un radeau de naufragés. Il le pressentait. Brand n'aurait pas dû les déchaîner sur le village. Comment pourraient-ils le respecter d'avoir cédé au premier soldat qui avait frappé un malheureux, aux trois quarts aveugle ?

— C'est un interrogatoire, il n'a qu'à répondre. Où sont les chameaux ? hurlait Brand, quand il avait voulu intervenir.

Comme si ce n'était pas dérisoire ! Avec quoi auraient-ils pu courir après, même s'ils avaient su dans quelle direction ? A quoi avait rimé cette violence inutile ? Et après, si c'était cela effacer leurs traces, c'était réussi. Il pensa que, si tout allait plus mal, il se débarrasserait de Brand à n'importe quel prix, et s'emparerait du commandement. Au premier acte de folie de celui-ci, il le ferait, car Brand devenait fou, il le savait. Depuis le village, il marmonnait seul, agité d'un autre tic : il se prenait continuellement le bas du ventre à pleines mains. Avant de quitter la zériba, il avait réuni les hommes : un rassemblement de cour de quartier, et s'était pris pour Kitchener lui-même ou pour Scott.

— Si nous devions recommencer, nous le ferions.

C'était à vomir, quand il avait dit, halluciné, comme s'il répétait une phrase entendue :

— Je vous ferai cracher le sang peut-être,

mais le capitaine Brand vous ramènera à Ismaïlia, à quatre pattes s'il le faut ; vous me bénirez plus tard.

Et il s'était mis à chanter le vieux cantique de Buffield : « Debout, sainte cohorte... » Allons, tous en chœur !...

Brand s'agitait devant les hommes sourds à son invitation. Leith n'avait pas eu le courage d'intervenir. Quelques voix timides avaient essayé d'enchaîner. La voix de Brand se perdait.

Debout pour la bataille,
Allez, vaillants soldats,
L'immortelle couronne
Est le prix des combats.

Il s'arrêta à bout de souffle en balbutiant :

Le triomphe est possible
Pour qui lutte... qui lutte...

Il se tut, comme surpris, oscillant sur lui-même tel un homme ivre.

— En route ! cria-t-il. Non ! Nous ne luttons pas à genoux ! dit-il en se tournant vers un soldat qui venait d'achever le vers : « Pour qui lutte à genoux. »

Puis il aperçut les prisonniers. Le lieutenant Lutze le dévisageait. Brand les avait alors insultés.

— Ils porteront leurs propres vivres. Dites-le-leur, Leith. On avait bien besoin de ces salauds-là. Et puis non, ils porteront une charge pour nous également et vous les attacherez à la queue des ânes !

Les hommes avaient éclaté de rire, et Brand s'était rengorgé de son succès.

— Qu'est-ce que vous en dites, vous autres, hein ? à la queue des ânes !...

Leith n'avait pas bougé, mais quand l'ordre fut exécuté, au moment du départ, il était tranquillement allé les détacher. Le capitaine n'avait pas osé s'insurger, grommelant seulement entre ses dents :

— Parfaitement, je vous ferai pisser le sang !

Et il avait fixé Leith dans les yeux.

— Oui, pisser le sang, avait-il répété, puis il avait pâli et, comme s'il reprenait possession de lui-même, il avait ajouté : « Dieu nous en garde ! » et il s'était tâté le ventre. Leith avait cru qu'il ne s'arrêterait jamais.

En commençant par les chèvres, puis les ânes, quand tout aurait été dévoré, ils auraient encore dix jours de vivres, mais comment les porter ? Leith calculait, pour tenter de résoudre ce problème insoluble. Les ânes ne tiendraient pas jusqu'au prochain puits. Plus tard les hommes crèveraient de faim pour n'avoir pas pu les conserver et les abattre seulement au fur et à mesure de l'épuisement de leur charge de vivres. Si les puits n'étaient pas ensablés, voire empoisonnés, pour leur couper la route, l'eau ne leur ferait pas défaut. C'était le contraire qui s'était pourtant produit le plus souvent pour les Rangers, malgré leurs chameaux ou leurs véhicules. Les Allemands avaient jeté des huiles animales pour polluer les sources sur les itinéraires qui pouvaient menacer leur flanc.

Le commando évoluait beaucoup plus au sud que les patrouilles de harcèlement, et peut-être cette épreuve leur serait-elle épargnée. Cette hypothèse rassura Leith.

Il avait fallu que cet imbécile de capitaine s'entêtât à emporter des documents qui ne présenteraient plus d'intérêt à l'arrivée et ralentissaient leur marche. Il y avait de fortes chances que, tel le Petit Poucet, les hommes s'en délestent lentement feuille par feuille, dès qu'ils arriveraient à la limite de leurs forces ! Si le capitaine s'en apercevait, ce serait alors un fameux drame.

Leith se demanda soudain pourquoi il s'inquiétait tellement de ce qui allait suivre, et des autres, lui qui pensait ne plus rien avoir à sauver que sa propre peau, ce qui ne l'intéressait guère. La conscience est la création d'un Dieu barbare ; elle nous ôte tout confort, se dit-il. Et pourquoi ? Pour aboutir toujours aux mêmes échecs de l'homme, tout au long de sa marche à travers les siècles. Une humanité de fauves sans âme eût supprimé toute ambiguïté. Il rêva d'un monde dans lequel il n'y aurait eu que des satisfactions, en deçà des joies, où seules se seraient exprimées les forces instinctives. Un monde où les faibles ne fausseraient pas le jeu.

A sa manière, Brand était un fort. Il n'obéissait qu'à sa propre loi intérieure pour acquérir sa victoire, dès l'instant où il avait été libéré des cadres qui l'enserraient et où il était devenu maître tout-puissant du commando lâché loin de ses bases, isolé comme un équipage dans les grandes houles figées du désert. Pour lui, pensa Leith, le drame est qu'il tient son pouvoir d'autre chose que de lui-même. Il lui a été conféré, il le considère comme indiscutable. La première rébellion serait mortelle pour lui. Et elle ne pouvait pas ne pas se produire. Il n'était fort que de ce pouvoir emprunté. C'était plus subtil cependant : il était fort parce qu'il tenait à vivre. Pourtant le capitaine ne dominait pas les hommes et cependant, inconsciemment, devant lui, Leith cédait ; sa force venait de sa faiblesse. Pourquoi l'avait-il épargné chaque fois, sinon pour cela ? Leith pensa qu'il ne l'avait fait que par pitié et honte pour Brand. Mais le vaincu, pour le moment, c'était lui, Leith, qui n'avait rien pu empêcher de cette horrible tuerie.

Il marchait depuis le lever du jour, au rythme balancé de la chamelle impavide près de lui, ses grands yeux noyés contemplant un monde infini et mystérieux vers lequel elle paraissait s'acheminer, tranquille, dans cette marche qui donnait le sentiment de l'éternité. Elle avait quelque chose d'une impénétrable divinité qui lui faisait prendre sa mesure fragile d'homme perdu entre le ciel devenu blanc de chaleur et l'immense espace monotone devant lui. Il se prit à réciter les vers du poète :

Pour me consoler de mon malheur
et de ne pas avoir tué...
Le combat m'a appelé par mon nom.
Il a aussi appelé mon méhari
qui est un guerrier comme moi,
Mon méhari dont le galop est plus rapide
quand on lui parle de combat.
Et l'orgueil d'être grand me rend plus grand
d'être sur mon grand méhari.

La colonne s'arrêta au creux d'une dune. Brand fit placer quelques hommes en guetteurs. On continuerait de jour et en partie de nuit, avec quatre heures de repos au milieu de la journée, six heures la nuit. Il avait calculé qu'en marchant quatorze heures par jour, ils atteindraient le prochain puits le troisième jour. Il n'était plus question de ne marcher que de nuit...

Quand ils eurent installé leur campement misérable, Brand appela Barney. Il avait longtemps hésité, mais ne voyait pas d'autre solution. Malade ou non, il préparerait ainsi l'avenir. Il serait maître de la situation et c'était son rôle. Personne d'autre que lui ne pouvait être juge. Le moment venu, il ferait la distribution de quinine et de médicaments comme il l'entendrait. Malgré toutes les justifications qu'il se donnait, il avait peur d'affronter Barney. Quand celui-ci se présenta, il l'envoya chercher sa pharmacie de campagne.

L'infirmier revint avec son sac.

— Maintenant, c'est moi qui le garderai, Barney. Vous pouvez disposer.

— Bien, Sir.

Brand éprouva un soulagement. Il fut surpris de la simplicité avec laquelle cela s'était passé. Pourtant, interrogateur, Barney le regardait comme s'il ne comprenait pas. Le capitaine eut le sentiment d'être deviné.

— Qu'y a-t-il ?

— Rien, Sir... mais c'est assez lourd.

Brand sourit.

— Vous pouvez aller, ne vous inquiétez pas.

Ce n'était que cela : l'inquiétude de ce brave Barney. Tout était facile. Mais pouvait-il en être autrement ? Il prit à nouveau conscience de l'importance de son rang, de sa fonction. Qui pouvait soupçonner le capitaine Brand ?

Barney, qui s'éloignait, revint sur ses pas. Et la crainte renaissante fit battre le cœur de Brand. Que voulait-il encore ?

— Sir ?

— Oui ?

— Il reste exactement dix rations de quinine, c'est-à-dire pour une semaine.

— Merci.

Quand l'infirmier se fut éloigné, la peur le reprit. Pourquoi était-il venu préciser le nombre de rations ? Maintenant, il serait dans l'impossibilité d'en distraire pour lui. Et il s'était mis le lourd sac sur les bras.

Il l'ouvrit et passa en revue les médicaments, lisant attentivement toutes les notices. Au fur et à mesure, il devenait de plus en plus nerveux. Quand il eut terminé son inventaire, il était découragé ; une angoisse folle l'envahit. Il ne pourrait pas échapper. Il se voyait mourir dans les dunes, ridiculisé par les hommes, se traînant, les entrailles en feu, se tordant de douleur. Il se leva pour aller à l'écart, mais ne trouva pas le moyen de s'isoler à leur vue. Il continua plus loin, au delà des guetteurs. Quand il fut seul dans le silence, le sentiment d'être un homme perdu dans le désert l'envahit et il fut terrifié à l'idée que cela pouvait lui arriver. Il se soulagea, après s'être examiné, se concentrant, guettant la naissance de la douleur.

— On ne peut pas encore savoir, dit-il à mi-voix.

Leith l'avait observé en se demandant ce qu'il avait bien pu chercher dans les médicaments. Un poison pour lui ou pour nous ? Et il fut pris de peur. Dès que Brand eut disparu derrière les dunes, il se leva et courut jusqu'à la pharmacie. Il en examina rapidement les tubes et les boîtes qui gisaient au fond du sac. Il n'y avait que quelques produits toxiques, d'usage externe, contre les brûlures, les piqûres . . . des ampoules de morphine . . . des pilules d'opium . . . des tubes de quinine . . . Leith se perdait en hypothèses. Il eut envie d'enlever tout ce qui pouvait être dangereux, mais fut interrompu par la voix de Brand :

— Tiens ! tiens ! Et que cherchez-vous Leith ?

Il le regardait en dessous, les yeux brillant d'un éclat fiévreux, un peu injectés de sang, l'air ironique. Leith leva la tête. Il ne savait quelle attitude prendre devant le masque de l'autre qui lui fit penser en un éclair à la folle de Géricault. C'était la même expression de ruse, de cruauté et de démence.

Il se leva sans répondre.

— Je vous ai parlé, Leith.

— Oui, Sir.

— Répondez.

Il fut sur le point de mentir, puis se ravisa.

— Je cherchais ce qui pouvait vous intéresser dans cette pharmacie, Sir.

— Voyez-vous cela. Le lieutenant espionne le capitaine, refuse d'obéir à ses ordres, l'insulte quelquefois. Et cherche dans la pharmacie . . . un poison, sans doute pour se débarrasser de lui.

— Vous avez donc songé au poison ?

Les yeux de Brand étaient rétrécis et un sourire féroce le défigura lentement, comme si une force incontrôlée prenait possession de lui. Il semblait ne pas avoir entendu ; poursuivant son idée, il dit :

— Et vous l'auriez pour vous tout seul, hein, Leith ?

Il ne répondit pas, comme s'il n'avait pas compris.

— Je sais depuis longtemps que vous l'aimez. Vous avez entendu Wilkins. Je suis la risée de mes hommes par votre faute. Vous me le paierez, Leith. Vous n'auriez pas dû faire ça. Je l'aimais, moi ! ...

Peu à peu, la voix avait faibli, comme si la fureur se muait lentement en désespoir.

— Vous saviez pourtant ce qu'elle représentait pour moi...

Leith crut que Brand allait se mettre maintenant à pleurer. Il eût pu, d'un mot, le calmer, essayer au moins de lui ôter ses doutes. Mais un tel mépris le tenait ferme, dur, qu'il prit plaisir à le voir se défaire ; il eût voulu qu'il le suppliât afin de le mépriser encore davantage, afin que sa tâche en fut facilitée, quand l'instant viendrait. Il l'excita en laissant tomber :

— Singulier amour que celui qui salit !

— Leith, vous voulez me pousser à bout, n'est-ce pas, pour vous débarrasser de moi... Je le lis dans vos yeux. Mais vous n'y parviendrez pas, je suis plus fort que vous tous ici. J'arriverai au Caire et il faudra qu'elle avoue... Et vous aussi, je vous ferai avouer.

Une nouvelle poussée de fureur montait.

— Ce sera vraiment difficile, dit Leith en s'en allant.

Le capitaine le suivit du regard, la sueur ruisselait sur son visage et il haletait de rage impuissante, devant ce mur, ne trouvant pas la prise qui mettrait Leith à sa merci.

Leith s'éloignait lentement. Roulé dans son burnous, il s'allongea près de la chamelle. Il n'avait plus qu'à attendre : Brand était touché à mort par l'ambiguïté de sa réponse. Il eut le sentiment de la vanité de ce qu'il avait fait. Quel démon le poussait ? Quelle faiblesse cachée derrière cette volonté de destruction de Brand ? L'horreur d'un système qui donnait de tels droits, à un homme indigne, sur d'autres hommes ? Le désir de sauver Jane de son destin ? Quelle dérision, et de quel droit pèserait-il sur sa vie ? Elle était heureuse. N'avait-elle pas aspiré à cette carrière dans le monde ? Non, il méprisait Brand parce qu'il était l'image de tout ce qu'il détestait, tout ce qui était cause des échecs des civilisations. Il le haïssait comme le symbole de la médiocrité revêtue du pouvoir. De cette médiocrité qui l'avait conduit à son propre échec. Depuis Benghazi, tout était perdu. Il n'avait jusqu'ici mesuré l'absurdité qu'en des jeux d'intellectuel, en amateur des problèmes historiques. Depuis qu'il était plongé dans l'action du combat, elle lui avait été révélée dans sa chair même. Mais il n'avait pas faibli, il ne faiblirait pas pour Brand. Il irait jusqu'à la conclusion, quand toute l'imposture de cet héroïsme serait arrivée à son terme. Alors, il s'abandonnerait à ce que les autres appelleraient faiblesse, et qu'il considérait comme le triomphe de l'homme sur lui-même, consécration victorieuse de celui-ci devant l'absurdité, ce qui est la protestation la plus exemplaire. Le dernier ordre, celui du vieux chant de l'Amenokal du Hoggar : Moussa Ag Amastan.

J'étais seul dans la vie,
je veux être seul dans la mort.
Vous m'ensevelirez dans le sein du désert.
Le désert est meilleur que la tombe étroite
pour le sommeil de celui
qui ne recevra jamais d'offrande,
ni de prière . . .

Il hésita sur le dernier verset, comme effrayé par un blasphème.

A qui meurt d'amour immense,
il faut l'immense oubli.

Il se ressaisit, un sourire effleura son visage brûlé : « La magie de la solitude et du désert, le délire. » Le voilà qui se prenait à croire à son amour pour Jane, mais il n'était pas sûr de son propre sarcasme à son égard. Une pirouette de son esprit le sauva de l'attendrissement : « La sublimation dans l'absence et le malheur. » Il caressa l'encolure de la bête étendue près de lui, dont les narines s'ouvrirent comme des soupapes élastiques, vivantes. Le sortilège merveilleux de la vie l'envahit à nouveau, se substituant au désespoir et à l'ironie. Les yeux ouverts sur les étoiles, il attendit le froid qui fait craquer les pierres et raidit les muscles.

Il fut arraché au sommeil par un bruit étouffé de lutte. Il entendit des cris en allemand et la voix de Wilkins qui répondait :

— Ta gueule.

La vraie guerre de l'homme commençait. Il songea qu'ils allaient ainsi s'entretuer pour survivre le plus longtemps possible. Il voulut se lever, mais quelque chose le retint. Il ne sut si c'était sa fatigue ou l'indifférence, et se méprisa de ne rien faire. Il s'apprêtait à intervenir quand la bagarre s'éteignit. Il ne perçut plus qu'un murmure : c'était Wilkins qui parlait sur un ton inhabituel au capitaine Brand, lui sembla-t-il.

Leith se retourna contre le flanc de sa bête et se rendormit.

A la pointe du jour, quand il se leva, les prisonniers étaient très agités. Le lieutenant Lutze discutait avec ses camarades. Leith s'approcha d'eux ; aussitôt, l'Allemand lui fit face, brutalement.

— Savez-vous que, cette nuit, un de vos soldats a réussi à nous voler une partie de nos bidons d'eau ?

— Non, mais j'aimerais recevoir vos réclamations sur un autre ton.

Il eut conscience qu'il venait de ressembler à Brand et s'en voulut de sa sécheresse.

— Excusez-moi.

— Alors ?

L'Allemand expliqua ce qui s'était passé au cours de la nuit. Malgré la résistance d'un des leurs, un soldat s'était emparé de plus de la moitié de l'eau qui leur restait.

— Je vais voir cela quand nous serons rassemblés.

Il alla rendre compte à Brand qui parut ennuyé.

— Que voulez-vous que j'y fasse ? Je ne vais pas monter la garde auprès de « vos prisonniers ».

Leith haussa les épaules.

— Sir, c'est maintenant la bataille de l'eau qui commence. Chaque homme qui tue gagne une ration, songez-y. En tout cas, je prendrai des mesures moi-même. D'ailleurs, je sais qui a volé ces bidons. J'ai entendu la fin de l'affaire.

— Pourquoi n'êtes-vous pas intervenu ?

Il fut sur le point de répondre : « Parce que vous y étiez », mais il se retint et se tournant vers le campement il appela :

— Wilkins ?

Celui-ci arriva, l'air maussade, les mâchoires serrées, prêt à mordre.

— Apportez-moi les bidons que vous avez volés aux prisonniers allemands cette nuit.

Wilkins prit un air d'innocence outragée en se tournant vers le capitaine qui se taisait.

— C'est bon, alors donnez-moi votre réserve d'eau, ou plutôt nous allons la chercher ensemble.

Le soldat ne bougeait pas, il regardait toujours Brand, mais cette fois avec une lueur de menace. Brand se déroba.

— Ah, non, Cap !

Le ton de Wilkins surprit Leith ; une pointe de familiarité et de défi dressait le soldat.

— Allez avec le lieutenant, Wilkins, dit Brand, gêné. Nous verrons après.

Leith pensa que la nuit l'avait trompé, mais l'attitude de Brand et de Wilkins le troubla. Il s'empara des deux bidons pleins de Wilkins.

— Quelle sobriété ! . . . Pas bu depuis deux jours ? . . .

Wilkins ne répondit pas. Leith l'entraîna vers les Allemands.

Il leur fit rendre les bidons et commença une répartition minutieuse. Quand ce fut terminé, il restait un quart de bidon à Wilkins.

— La prochaine fois, dit-il, je ne vous en laisse pas une goutte. Compris ? . . .

Leith s'attendait à un éclat de fureur de Wilkins, mais celui-ci dit seulement entre ses dents, en s'en allant :

— J'aime pas les nourrices.

Il se dirigea vers le capitaine qui avait suivi toute la scène de loin.

— Cap, ça ne va pas ?

— Je vous prie de ne pas m'appeler familièrement « Cap », Wilkins.

— Dites donc, vous voulez que je dise aux gars d'aller vous regarder pisser, hein ? — Il parlait à voix basse, en gloussant de joie. — Vous voulez pas non plus que je dise comment vous l'avez violée, la petite . . . Et comment que vous n'avez pas craché sur ma flotte, cette nuit . . . Maintenant, moi, je suis à sec avec votre con de lieutenant ; alors, va falloir y penser, Cap.

Brand avait la gorge serrée par la fureur et la peur. Le désir de tuer Wilkins l'effleura et accrût sa terreur.

Sous quel prétexte pourrait-il le faire ? . . . Et Wilkins n'était pas homme à se laisser démolir. Comme s'il avait deviné ses pensées, le soldat le fixa dans les yeux en disant :

— Non, Cap, faites pas le méchant . . . Y a que Wilkins qui peut vous sortir de là, quand ça va aller mal. Nous deux, on s'en sortira ; mais, donnant donnant, hein ? . . . Je vous l'ai dit cette nuit, je m'occupe de la flotte, vous . . .

— C'est bon, allez, Wilkins, dit-il, l'œil vague.

Il fut écœuré par sa propre ignominie. Le capitaine Brand, ex-attaché au vice-roi des Indes, discutait avec Wilkins, s'était lié avec ce voyou. Il pleurait presque sur lui-même et se prit soudain à maudire son père, en se retrouvant en lui. C'était cela la fatalité, pensa-t-il. On ne vainc pas ses origines. Il se cherchait éperdument des excuses. Au plus profond de son angoisse, tout lui paraissait injuste tout à coup ; le monde ligué contre lui l'avait acculé là, dans ce désert, à attendre la maladie qui l'achèverait, à être soumis à cet infernal Wilkins, à la haine de Leith qui lui avait volé Jane, il n'y avait plus de doute. Un instant, il avait cru s'être vengé d'elle avec cette fille, et sa vengeance même se trouvait empoisonnée. Il leur souhaitait la mort, à tous, les uns après les autres. Wilkins avait raison, lui ne connaissait ni la peur, ni les scrupules.

Les hommes achevaient les préparatifs du repas avant le départ. Ils cherchaient des shots desséchés, amassant tout ce qui pouvait brûler. Les chèvres faméliques erraient en titubant de touffe en touffe. Les ânes, écrasés sur le flanc, semblaient à l'agonie. La colonne repartirait. Wilkins tiendrait la queue d'un âne pour le soutenir dans sa marche et Barney, goguenard, regarderait son capitaine porter le sac à médicaments qui lui scierait l'épaule. Brand eut un geste las et il se surprit à tortiller l'extrémité de la corde-ceinture qui pendait à son côté ; c'était redevenu, depuis le pillage du village, un véritable tic : des heures entières, il lui fallait rouler quelque chose entre ses doigts. La conscience de son geste le ramena à quelques années en arrière, quand il était jeune écolier et plus tard officier ; il enroulait ainsi son mouchoir dans sa poche autour d'un doigt, et il lui arrivait, par inadvertance, de le sortir, de continuer à le tordre, à deux mains, devant ses camarades ou ses collègues, tout en parlant.

Peu à peu, leurs moqueries l'avaient guéri de cette habitude qui lui venait de si loin. Sa réussite l'avait également aidé à se débarrasser de cette manie étrange.

Le passé revenait puissant. Le Brand rongé de timidité et pétri d'ambition, luttant désespérément contre lui-même pour gagner le respect et la considération des autres, reparaissait plus marqué que jamais. Il se trouva minable, abandonné, comme autrefois, comme lorsque Jane lui disait :

— David, vous êtes un tout petit garçon qui voudrait encore sucer son pouce mais qui a peur des grandes personnes.

Alors, il ramassait le mouchoir et se croisait les mains derrière le dos. Elle se moquait de lui. Elle n'avait fait que cela, en somme. Qu'importait le prix à payer pour gagner la partie ? il lui fallait vaincre pour effacer d'un coup tout le passé. Oui, leur en imposer à tous définitivement, et parler en maître à Jane. Il serait major à son retour, un des plus jeunes, sinon le plus jeune, dans son arme. Tout lui serait possible. Il se leva assuré, les yeux fixes. Le général Brand est appelé au ministère de la Défense, pour assumer un poste important dans l'Empire. Gouverneur de l'Egypte, Haut-Commissaire . . . Il était reçu par le Roi . . . En prenant possession de son poste, il se souvenait qu'il avait aperçu dans la foule des notables se pressant sur les marches de la Résidence du Haut-Commissaire, un visage connu et qui souriait. Il avait eu un moment d'hésitation, puis l'avait reconnu : c'était Barton, directeur d'une grande entreprise. Il avait traversé le groupe des notables pour aller le chercher en disant : « Messieurs, Barton et moi . . . »

— Sir ?

La voix de Barton le surprit. Il le regarda comme s'il ne le voyait pas. Non, il n'avait pas rencontré Barton ou alors il ne l'avait pas reconnu, n'avait pas eu l'air de le reconnaître, ce n'était pas possible... Barton pourrait raconter des choses qui ne seraient pas exactement *sa* vérité sur cette vieille affaire de Benghazi.

— Dites-moi, Barton, vous avez des intérêts en Egypte ?

— Non, Sir !

— Ah ! dit-il, surpris. Et aux Indes ?

— Non, Sir !

— Vous êtes importateur-exportateur cependant ?

— Oui, Sir.

— Alors, je m'étais trompé, dit-il lentement.

— Sir, je venais prendre les ordres.

— Réunissez les officiers pour la conférence...

Barton était désemparé par cet interrogatoire et ce « Réunissez les officiers pour la conférence ».

— Evans également, Sir ?...

Brand prit son temps avant de répondre, il émergeait lentement de son avenir. Il regarda pensivement Barton s'éloigner et promena ses yeux surpris sur les dunes, les hommes qui s'agitaient dans tous les sens. Quand Leith et Evans arrivèrent, accompagnés de Barton, il les examina comme s'il passait une revue.

Les autres attendaient qu'il parlât, mais il poursuivait son examen. Il se décida enfin.

— C'est bon, nous marcherons comme d'habitude.

Il semblait se désintéresser de son commandement, de ses hommes, du but même, avec tranquillité.

— L'eau, dit Evans.

— Ah ! oui, l'eau ; alors le déclic se fit. Il pensa en un éclair que cette obsession de tous les autres lui était étrangère dans le moment, mais qu'ils ne devaient le savoir à aucun prix. Il songea à Wilkins, au marché de la nuit.

— Oui, l'eau. Nous pouvons tenir jusqu'au puits, je pense ; n'est-ce pas votre avis ?

— Ce sera dur, Sir, surtout si la moitié du commando vole l'autre moitié.

— Qu'ils se défendent : je ne vais pas passer mes nuits, ni vous non plus, à les surveiller.

— Il y a peut-être une solution à trouver, Sir.

— Ah ! et laquelle ? — Il se repentit aussitôt d'avoir posé la question et se reprit. — Nous verrons plus tard ce que nous pouvons faire ; pour l'instant, ce n'est pas dramatique. Seuls, les Allemands ont été volés, paraît-il. Tant pis pour eux, la vie de mes hommes est plus précieuse que la leur, n'est-ce pas ?

Personne ne répondit, mais Evans s'agitait ; il finit par se décider à parler :

— Sir, je crois que, dès maintenant, nous devrions procéder différemment. Toutes les guerbas et les bidons seraient rassemblés, sous bonne garde, et la distribution faite chaque matin, de manière à éviter que la nuit ils ne se volent entre eux. Je pourrais assurer cette garde, Sir. Nous pratiquions toujours ainsi quand j'étais...

— Pour la garde, en effet, vous êtes très qualifié n'est-ce pas ?... Les chameaux, par exemple...

Evans rougit ; une petite flamme triste passa dans ses yeux.

— Sir, je me suis proposé parce que c'est une mission assez pénible, mais il vaudrait mieux que ce fût un officier.

Le vieil Evans ne démordait pas de son idée. Il savait qu'il avait raison et son expérience était là dans sa chair, si puissante qu'aucun raisonnement ne pouvait le convaincre. Il insistait sans se rendre compte de l'énervement de Brand, de la colère qui couvait en lui.

— Evans, pouvez-vous me dire alors qui portera les réserves d'eau si elles ne sont plus réparties ?

— Le chameau, Sir.

— Ah ! oui, vous croyez qu'il n'est pas assez chargé ?

— A la place, on pourrait répartir sa charge actuelle entre les hommes.

— En effet, dit doucement Brand, avec une ironie féroce, et, soudain brutal, il ajouta : Je sais que l'eau ils la porteront jusqu'au bout, mais que les documents, les quelques munitions qui nous restent, ils les sèmeront au fur et à mesure de leur fatigue.

— Préférez-vous sauver les documents ou les hommes, Sir ?

C'était Leith qui avait parlé.

Le capitaine se tourna vers lui :

— C'est une conspiration contre moi, cria-t-il. Vous n'avez pas encore le commandement, Leith, je ne suis pas encore mort.

Ils se regardèrent, stupéfaits.

— Vous m'entendez : je commande, la responsabilité de mes actes, je l'assumerai. J'ai une mission, les hommes sont les instruments de son accomplissement et vous aussi. Je ramènerai les documents d'abord, les hommes s'il se peut. Il en restera toujours assez pour escorter votre chameau. Vous pouvez disposer.

Tous les trois s'en allèrent sans un mot.

Evans s'éloigna en grommelant :

— C'est insensé, on court au massacre.

Leith hocha la tête.

Barton se tourna vers Leith comme s'il attendait un mot de lui pour le rassurer, mais le lieutenant se taisait.

— Barton, vous voulez me parler, dit Leith.

— C'est-à-dire ... Je ne comprends pas.

Il fit part des questions que lui avait posées Brand.

— Il avait l'air de rêver à haute voix, tout éveillé, et de ne pas entendre.

Leith ne savait que répondre.

— Ecoutez, Barton, attendons, faisons ce que nous avons à faire. Il n'y a pas de péril encore. Nous devons être au prochain puits dans quarante-huit heures au plus tard, d'après Mokrane ; à ce moment, nous aviserons.

Ils se quittèrent après avoir décidé de veiller à tour de rôle, la nuit suivante.

La journée s'écoula sans incident. Chacun des officiers marchait à l'écart. Les hommes se taisaient, seules des injures fusaient de temps en temps, contre le désert, le soleil, la chienne de vie ou un camarade qui ne marchait pas assez vite. Ils étaient entrés dans cette partie du reg où les pierres résonnent sous les chocs ; au début, ils s'en étaient amusés, puis, le soleil, la fatigue aidant, ils les maudissaient, leurs pieds dans les nails s'ensanglantaient. Ils avançaient, murés dans la peur et une haine naissante les uns pour les autres. Chacun suçait un galet pour faire taire sa soif. Une atmosphère subtile de révolte flottait sur cette colonne qui n'avait déjà plus d'âme. Dans les yeux de presque tous, Leith lisait une lueur de folie qui l'inquiétait. Il savait que le moindre geste pouvait déclencher le meurtre. Il songea qu'il était impossible de leur enlever leurs munitions ; d'ailleurs, les couteaux suffiraient.

Quand ils préparèrent le bivouac du soir, chacun se replia dans sa solitude. Les hommes s'étaient écartés les uns des autres, veillant tous jalousement sur leur ration d'eau. Leith demanda à Barton de rester auprès des prisonniers la première partie de la nuit ; Evans le remplacerait. Puis il appela Mokrane.

— Tu veilleras jusqu'à une heure. Appelle-moi si tu remarques quelque chose. Puis tu m'éveilleras, je prendrai la suite.

Avant de se coucher, il passa voir les hommes pour les rassurer.

— Demain, nous serons au puits. La route, après, est plus facile.

Ils l'écoutaient sans rien dire, comme s'ils ne le croyaient pas. Et dans chaque regard il sentait une incrédulité hargneuse. Wilkins lui répondit ironiquement :

— Vous fatiguez pas.

Brand paraissait indifférent à tout ce qui se passait, semblait ne rien entendre. Quand Leith s'approcha pour lui demander des pansements pour les hommes dont les pieds étaient blessés, il ne répondit pas. Leith parla plus fort et le capitaine leva la tête. Il se tenait le crâne, les mains sur les oreilles. Leith comprit ce qui se passait. Il réitéra sa question, l'autre sortit de sa torpeur et se laissa enlever le sac des médicaments. Leith agissait lentement, craignant une réaction, mais le capitaine se contenta de montrer sa tête d'un geste d'homme ivre, en battant la mesure.

— Sir, cessez de prendre de la quinine, sinon . . .

Brand eut un sourire grimaçant, ambigu.

— Vous me voudriez mort, tous, n'est-ce pas ?

Et comme s'il n'entendait pas sa voix, il reprit plus fort, puis se leva pour aller à l'écart. Leith vit sa silhouette s'éloigner. Il crut que Brand s'enfonçait seul dans le désert, et fut sur le point de l'appeler, quand il le vit s'arrêter. Leith haussa les épaules en souriant de sa crainte.

Brand commençait à se rassurer, les jours passaient et la souffrance redoutée tardait à naître.

Le lendemain matin, les ânes ne se relevèrent pas. Ils gisaient, râlant. Les hommes furent frappés de terreur.

Il fallut répartir ce qui restait de leur charge de galettes sèches, de farine et de dattes. Les mouches étaient déjà là. Il semblait que la colonne, depuis le village, marchait dans leur halo. Chaque homme se déplaçait avec ses satellites, comme s'il entraînait avec lui un morceau d'atmosphère. Elles collaient aux plaies des pieds, mais, depuis ce matin, l'essaim, concentré sur les cadavres, donnait un répit au commando.

Quand Brand donna l'ordre de dépecer les ânes pour conserver la viande qu'on attacherait, par quartiers, à la rahla du chameau, personne ne bougea sauf Wilkins. Armé de son poignard, il commença à trancher dans les bêtes, éclaboussé du sang qui giclait et qu'il recueillit dans une calebasse. Bientôt, les autres l'imitèrent. Un ânon, mû comme par un obscur avertissement, se redressa et tenta de fuir, tête basse. Il fit quelques pas en trottant et de son front têtu percuta le sol. Wilkins était déjà dessus, comme une bête de proie, et le saignait. Brand pâlit, fasciné par les coups de Wilkins. Tout à coup, il cria :

— Arrêtez !

Son souffle devint saccadé. Il s'assit sur le sol. Tous les hommes levèrent la tête. Il voulut donner l'ordre du départ, mais il ne put articuler un mot. Lentement, l'émotion reflua et il parvint enfin à dire :

— Faites-en griller tout de suite si vous voulez, mais nous n'emporterons pas cette charogne.

Leith, qui observait la scène, sentit que son heure ne tarderait guère. Le capitaine devenait fou. Il avait vu à nouveau dans ses yeux la peur de Benghazi. Il songea que dans la vie de Brand existait un souvenir ayant déterminé la première fissure secrète, soigneusement cachée quelque part au fond de l'homme, et qui ne tarderait pas à détruire en lui ce qui restait d'orgueil, de volonté de sauver les apparences. Il se demanda si Jane s'était quelquefois rendu compte de la nature de l'idée fixe qui devait habiter Brand, de sa hantise. Il était vert et défait : Leith s'approcha, le mystère qu'il pensait découvrir l'incita à lui parler. L'esprit attentif, dépourvu de haine, simplement animé du désir de connaître, dépouillé de toute volonté charitable, presque inhumain, il se prépara à démonter la mécanique intérieure de Brand, jusqu'au bout, comme il s'était si souvent dans sa vie appliqué à le faire, hanté par son propre problème. Il voulut à tout prix savoir, profiter de cette occasion. Cette zone d'ombre chez Brand le gênait dans son mépris pour lui, sans qu'il s'en doutât.

Il alla s'asseoir près du capitaine.

— Je n'aime pas voir ça, dit-il, comme un pêcheur qui amorce.

— Pourquoi ? — dit Brand, puis après un temps et sans achever sa pensée, il ajouta : — Vous aussi...

— Oui, dit Leith.

Méfiant, Brand le scruta. Leith vit qu'il lui échappait, alors il frappa au hasard.

— Moi, c'est le sang : lorsque j'étais au collège, je ne pouvais pas voir couler le sang, quand un camarade se blessait. Le mien, ce n'était pas la même chose.

Cette réaction, qu'il connaissait bien, lui apparut sous un jour différent d'autrefois. Il avait toujours cru que c'était son amour des autres qui se traduisait ainsi ; à cet instant, il pensa qu'il s'était trompé. Son sang jaillissant d'une blessure ne l'écœurait pas : il prenait un sombre plaisir à rester stoïque devant les autres. Il sut que ce n'était pas du stoïcisme mais que, peut-être, il avait, plus fort que tout le reste, le goût de sa propre destruction, le goût d'anéantir cette chair à laquelle il ne parvenait pas à se soumettre, pour être en fait délivré de tout problème. Il revit un de ses condisciples à l'Université qui, en plongeant, s'était ouvert le thorax sur un pieu. Le sang coulait et le garçon râlait ; ce n'était pas le sang qui l'avait fait fuir, pensa-t-il, mais ces râles, cette lamentation affolée, c'était le mépris pour celui-là qui découvrait sa peur à tous, l'impudeur dans sa souffrance devant sa chair mutilée. Il sut pourquoi il avait pu achever les blessés, pourquoi il lui était égal de mourir. Cela lui était facile même ; son excès de sensibilité s'accordait trop bien avec son nihilisme intellectuel. Il se tourna vers Brand et se sentit riche de sa fatalité. Le chemin du désert était bien son chemin. Le capitaine n'avait pas bougé. Il semblait rêver.

La phrase de Leith l'avait surpris, l'aveu de ce qui lui apparaissait comme une faiblesse le déroutait.

— Mais vous pouvez achever des blessés, dit-il.

— Oui, c'est autre chose ; avec mes balles, le sang ne coule pas.

— Je vois, je suis un peu comme vous, mais moi, ce n'est pas le sang, c'est le coup de poignard.

Il s'arrêta, Leith attendit : il était au bord de la vérité de Brand ; comme celui-ci se taisait, il poursuivit :

— Le poignard . . . Je comprends.

— Qu'est-ce que vous comprenez ? — Le ton était redevenu hargneux, Brand regrettait déjà. — C'est pour le coup de Benghazi que vous comprenez, hein ? Alors vous ne comprenez rien ; à Benghazi, je n'avais pas peur du poignard.

L'instant de la vérité était passé, pourtant Leith reprit :

— Nos peurs viennent de loin, nous n'y pouvons rien . . .

— Ça va, Leith, vous ne saurez rien, dit Brand en ricanant. Vous vous croyez très fort, n'est-ce pas ?

Et il se leva.

— Nous verrons, dit Leith. Je voulais vous aider.

— Alors, vous avez mieux à faire : ne pas dresser tout le monde contre moi.

Et il le laissa pour aller harceler ses hommes.

Evans venait vers Leith, l'air consterné.

— Sir, vous savez que presque tous les hommes n'ont plus une goutte d'eau. On aurait dû les rationner. Wilkins a menacé de ficher les Allemands en l'air.

— Nous serons au puits ce soir, Mokrane me l'a annoncé.

— Alors souhaitons d'y arriver sans casse.

— Vous marcherez à côté du Bédouin.

— Barney se plaint qu'on n'a pas distribué de quinine.

— C'est tout ? dit Leith avec un sourire triste.

Evans le regarda.

— Puis-je vous parler, Sir ?

— Allez-y.

— Je crois que le capitaine devient fou. Vous avez vu ses tics, ses colères, ses moments d'abattement.

Evans parlait sur le ton de la confidence respectueuse.

— Je sais, Evans, mais peut-être n'est-ce que la fatigue. Ne vous alarmez pas.

En fin d'après-midi, un kairn se dressa à l'horizon, sans aucune végétation autour.

— Le puits, dit Mokrane.

Alors, le pas des hommes s'accéléra. Leith dut courir pour rejoindre les premiers. Wilkins, au passage, lança à mi-voix :

— On a soif comme tout le monde !

Quand il fut en tête, Leith fit stopper la colonne ; des jurons furieux s'élevèrent.

— Personne ne boira sans mon ordre, dit-il. Il suffit qu'on ait jeté une huile animale quelconque dans le puits pour que nous y laissions tous la peau. Compris ?...

— Qu'est-ce que ça signifie ? dit Brand. Avancez.

Il fallut encore une heure de marche avant d'être aux abords du puits et ce fut une ruée à quelques centaines de mètres. Une rafale de coups de feu claqua. C'était Leith qui venait de tirer. Il y eut un instant de flottement, les hommes ralentirent, quelques-uns s'arrêtèrent.

Leith lâcha une seconde rafale, les balles soulevèrent le sable et les pierres près des hommes. Seul Wilkins continua après un temps d'hésitation.

— Wilkins.

— Merde !

En courant, Wilkins jetait ses charges pour

aller plus vite. Brand l'ajusta avec son colt. Il tenait son prétexte. Par deux fois il tira et rata Wilkins. Leith maintenant était dans son champ de tir. Il continua à tirer. Evans fit dévier l'arme vers le ciel. Brand le frappa en plein visage. Le sergent encaissa sans un mot. Leith venait d'agripper Wilkins et ils se battaient comme deux chiens ; un coup de crosse vint à bout de Wilkins. Leith se releva tenant sa mitraillette prête et s'avança seul vers le puits, au milieu de carcasses de bêtes et d'ossements blanchis que les hommes considéraient avec stupeur et découragement.

— Avancez, dit-il.

Il s'allongea sur le sol, écartant les pierres pour découvrir la cavité. Il lui fallut un moment pour s'habituer à l'obscurité, puis il plongea le bras sans rien trouver. Il se releva et se tourna vers les soldats attentifs.

— Débâtez le chameau et donnez-moi une courroie de charge et un bidon.

Les hommes haletaient après l'effort de leur course. Barney et quelques autres aidés de Barton et d'Evans débâtèrent la bête.

— Alors, Leith, qu'attend-on ? dit Brand qui arrivait.

— De trouver l'eau, Sir.

Brand se pencha et en se relevant dit :

— Je ne vois rien.

— Taisez-vous, Sir.

Il était trop tard, les hommes s'écrasaient au bord du trou, y plongeant leurs bras, Leith eut du mal à se dégager. Il les contempla, hautain, sans rien dire et attendit.

Un à un ils se relevaient, l'air hagard.

— Asseyez-vous, dit Leith. Ils obéirent, tous les regards étaient fixés sur lui maintenant comme s'ils en attendaient un miracle. Wilkins avait repris ses esprits et s'avançait en se tenant la tête. Il éclata d'un rire qui n'en finissait pas, un rire grimaçant de fou.

— Ils vous ont eus, bande de cons ! fit-il.

Leith se tourna vers lui en attachant posément un bidon au bout d'une courroie. Wilkins baissa la tête.

— Dépêchez-vous, dit Brand.

Leith haussa les épaules et lentement s'approcha du puits. Mokrane se pencha à ses côtés, et dit à voix basse :

— Je crois qu'il y en a encore un peu, mais nous ne l'aurons pas seule, il faudra filtrer sûrement.

Leith lui sourit et descendit lentement le bidon. Personne ne bougeait, tous les yeux rivés sur la courroie qui s'enfonçait. Puis ils la virent remonter.

— Trop court, dit Leith.

Comme des fous, ils se précipitèrent pour aller chercher d'autres courroies et l'opération recommença.

Ils retenaient leur souffle ; quand la corde mollit, l'espace et le temps furent abolis. Elle s'agita, molle et tendue tour à tour sous les mouvements du poignet de Leith, l'espoir des hommes oscillant à son rythme.

— Je racle le fond, me semble-t-il ; je remonte ?

Il était désemparé et ne savait plus que faire.

— Je ne l'ai pas senti flotter, dit-il à l'Arabe.

Puis, tout à coup, il se retourna sur le côté en criant :

— Donnez-moi une torche.

Il n'osait pas remonter le bidon vide et retardait l'instant afin de se reprendre.

Evans avait encore la sienne, pauvre de lumière. Il la tendit.

Ce fut en vain, Leith n'arriva pas à voir le fond.

— Je sais, dit Mokrane, je sais qu'il y a un peu d'eau, je le sens.

Leith tira sur la courroie avec précaution.

— Il est plus lourd, dit-il, trop lourd.

Enfin il l'aperçut, humide, suintant d'eau, de sable et de boue mélangés.

Les hommes ne virent que l'éclat humide sur le métal et un cri jaillit. Ils parlèrent tous ensemble en riant. Leith les entendait et n'osait pas se retourner. Il plongea la main dans le bidon en se relevant, et sentit au creux de sa paume l'eau boueuse. Une odeur de fange lui monta aux narines.

— Sens.

L'Arabe saisit l'inquiétude dans le ton de l'ordre.

— Je ne crois pas, dit-il après un instant. Veux-tu que je boive ? Nous verrons...

— Non, pas toi.

Les trois mots claquèrent dans la conscience de Leith ; il hésita un instant, puis il appela :

— Wilkins, puisque tu étais si pressé, tu boiras le premier. Nous attendrons que tu vives ou que tu en claques.

Il jeta un coup d'œil à Brand qui tourna la tête.

Le capitaine aurait voulu dire : « Leith, c'est à moi de boire », mais il avait peur. Si l'eau était bonne cependant, quelle victoire il remporterait !... L'hésitation le faisait trembler. Wilkins lui lança un regard haineux et menaçant, il dévisagea Leith avec méfiance et dit en s'adressant à Brand doucement, l'air rusé :

— Ça vous arrangerait, hein ?

Il avait repris son assurance.

Brand s'avança en disant sourdement :

— C'est à moi de le faire.

Le regard de Leith alla de Brand à Wilkins qui observait le capitaine curieusement. Il tendit le bidon sans un mot. Un long moment, Brand l'examina, puis il dit :

— Mais c'est de la boue.

— Non, la boue est au fond.

Les hommes s'étaient tus, ils esquissèrent un mouvement vers les deux officiers. Ce fut le petit Barton qui trancha la question. Il arracha le bidon des mains du capitaine, emplit la paume de sa main, mais au moment où il allait la porter à sa bouche, Leith lui donna un coup sur le poignet et remit le bidon à Brand qui se sentit acculé.

— Peut-être pourrait-on plutôt essayer sur le chameau ? dit-il à mi-voix.

— Et les documents, qui les portera ? dit Leith.

La phrase fit l'effet à Brand d'une condamnation à mort, devant tous ces visages qui le fixaient, l'emprisonnaient dans sa décision. Il hésita encore un instant, puis plongea longuement la main. Il goûta du bout de la langue, en fermant les yeux, et avala une gorgée. Par une étrange réaction, comme s'il s'était attendu à être foudroyé sur place dans l'instant, voyant que rien ne s'était produit, il reprit le bidon et but précautionneusement deux longues gorgées d'eau trouble.

— Elle a un goût de vase, dit-il avec une sorte de suffisance. Mais c'est de l'eau et elle n'est pas empoisonnée. Vous pouvez puiser.

— Non, Sir, il faut attendre, ça n'arrive pas si vite.

Leith le fixait, cruel, surpris qu'il eût osé.

L'espace d'un éclair, Brand lut sa mort inscrite dans le regard de Leith. Il se vit vaincu : Leith était le plus fort, avait su jouer de son orgueil et il s'était laissé prendre. Wilkins l'avait eu aussi et tous les deux, l'heure précédente, avaient été à portée de son arme. Il maudit Evans.

Il crut tout à coup qu'il souffrait du ventre.

— Allez chercher la pharmacie, Barney.

Barney s'exécuta.

— C'est inutile, dit Leith. Brand ne sut pas si c'était pour le rassurer ou parce qu'il n'y avait pas de contre-poison.

Les minutes passaient, l'angoisse crispait tous les visages. Brand, assis, n'osait pas bouger. Il semblait écouter en lui, guetter au fond de son être les signes ou les approches douloureuses de la mort.

Leith redescendit le bidon. Il songea qu'il était douteux qu'il puise assez d'eau pour les hommes et le chameau. En tout cas, ils mettraient des heures à en extraire suffisamment pour poursuivre leur route.

Le soleil baissait sur l'erg. Et ce n'était guère un travail de nuit. Il fit prendre trois autres bidons et quatre hommes commencèrent à travailler. Il leur avait interdit de boire. De plus, il fallait laisser déposer le sable avant de transvaser l'eau. Les soldats s'étaient couchés, tous observaient le capitaine à la dérobée. Comme des enfants, ils étaient passés de la fureur à la haine, puis, de l'admiration à la pitié inquiète. Brand restait figé dans une immobilité de pierre. Une heure s'écoula avant qu'il ne se levât.

La nuit était presque tombée. Leith regarda la maigre provision. Il lui semblait que l'eau se faisait plus rare, qu'ils remontaient davantage de boue à chaque va-et-vient.

— Alignez-vous, dit-il, en évaluant encore la réserve d'eau, et il fit signe aux prisonniers d'approcher. Il chercha une calebasse et allait commencer la distribution, quand Brand l'appela :

— Leith.

— Comment ?

— Y aura-t-il assez d'eau pour le chameau ?

— Je ne pense pas.

— Alors, réduisez la ration individuelle. — Il parlait avec autorité en s'avançant vers Leith. — Je ne suis pas mort, Leith, vous voyez, dit-il en ricanant. Et je commande toujours.

— Les hommes auront d'abord à boire, Sir, la bête, s'il en reste.

— Je vous ai donné un ordre, lieutenant Leith.

— C'est bon, faites la distribution. Et il tendit la calebasse.

Alors Brand s'adressa aux hommes :

— Je vous prends à témoin du refus d'obéissance du lieutenant Leith. A partir de ce moment, je vous dispense d'obéir à ses ordres. Il n'y a plus de lieutenant Leith dans ce commando. J'ai goûté cette eau pour vous, je vous ai conduits jusqu'à ce puits comme je vous ramènerai à Ismaïlia. Ce chameau nous est indispensable. Il peut nous servir à envoyer un messager, à aller vers un puits que nous ne pourrions atteindre et à nous ramener une provision d'eau. Il doit boire. Barton, venez m'aider.

Leith vit que les soldats avaient été convaincus et qu'il était seul. Brand avait repris l'avantage sur lui, par sa faute. Il s'écarta.

Wilkins dit à mi-voix :

— C'est juste, le capitaine pouvait y rester.

Des calculs compliqués commençaient. Brand mit de côté deux bidons d'eau pour le chameau. Puis, il transvasa avec la calebasse un bidon entier dans un autre en comptant. A chaque mouvement, quelques gouttes tombaient et les hommes commençaient à murmurer, les yeux fixes ; chaque goutte perdue amenait une crispation douloureuse des visages. Leith se taisait.

— Sir, dit Barton, nous en perdons.

— C'est insignifiant.

Seuls les chocs de la calebasse sur les bidons troublaient le silence de la nuit tombante. Il semblait que l'opération ne s'arrêterait pas.

— Voyons, dit Brand, neuf calebasses dans un bidon ; il reste un demi-bidon, mettons donc treize en tout. Nous sommes vingt-cinq. C'est parfait : une demi-calebasse par homme.

— Et les prisonniers, Sir ?

— Je me demande pourquoi . . . Il n'acheva pas sa pensée. Bon, alors ça ne tombe plus juste. On donnera un quart, on verra ce qui restera.

La colère montait en Leith.

— On voit que vous avez bu, capitaine, mais les autres attendent, dit-il.

Tous les regards se dirigèrent vers lui. Evans branla la tête. Brand se retourna, son quart à la main. Il s'avança vers Leith et lui en jeta le contenu à la face.

— Voilà votre ration, puisque vous êtes pressé.

Leith ne cilla pas.

— Vous avez sans doute l'habitude d'envoyer le potage à la tête de Mrs. Jane Brand . . .

Brand resta stupide, balançant sa calebasse, indécis sur ce qu'il allait faire ; puis il reprit possession de lui-même, son regard erra sur les hommes, assis sur le sol, qui le dévisageaient, attendant une bataille qui ne vint pas.

Barton rompit la tension, en commençant la distribution. Ils buvaient lentement ou d'un seul coup, et ceux-ci enviaient ensuite les premiers qui faisaient durer leur plaisir. Quand ce fut le tour de Wilkins, celui-ci regarda sa ration puis fixa Brand. Sans qu'un mot eût été échangé, le capitaine versa un peu plus d'eau.

— C'est trop, dit Barton.

Brand fit celui qui n'avait pas entendu. La distribution tirait à sa fin ; la nuit était tombée. Le capitaine donna l'ordre à Evans de faire boire le chameau. Alors, Mokrane s'avança vers Leith et lui offrit son quart qu'il n'avait pas bu.

— Non, merci, Mokrane, bois. Je veux que tu boives.

L'Arabe lui jeta un long regard inquiet. Leith se leva, se dirigeant vers les bidons d'Evans.

Les hommes allongés se dressèrent sur le coude. Brand vint à la rencontre de Leith qui l'ignora et s'empara d'un bidon. Il hésita un instant. Le vieil Evans le regardait, paternel. Il semblait dire : « Allez-y, Sir, ce n'était pas digne d'un officier de Sa Majesté. » Puis il aperçut

Brand qui le fixait. Le visage d'Evans exprima l'embarras, la crainte, et il tourna la tête.

— Evans !

Le sergent s'avança. Il avait le regard des mauvais jours quand dans les chambrées de Glasgow les recrues disaient de lui : « Attention, la mule hargneuse. » Il se figea au garde-à-vous devant Brand, mais la révolte était dans son cœur. A quoi servait-il d'avoir été vingt ans irréprochable, d'avoir reçu toutes les médailles que peut espérer un sous-officier et tant de brisques sur les manches ? Evidemment, aujourd'hui, rien ne rappelait tout cela aux yeux du capitaine. Et puis, Wavell l'avait décoré personnellement et ce Brand n'avait même pas une décoration qui eût un sens pour un soldat ! Il n'était capitaine que parce qu'il n'était pas, comme lui, le fils d'un mineur du Pays de Galles. Le fossé infranchissable entre Evans « La vieille mule » et le corps des officiers était devenu un abîme depuis la querelle du marabout près de M'Sous. C'était son destin d'être seul, lui, Evans, que les hommes respectaient et craignaient, qui subissait leur colère silencieuse quand il transmettait les ordres de l'officier. Et ici, dans cette colonne, pas un autre sous-officier pour pouvoir parler avec lui, recréer le monde qui était le sien depuis vingt ans. Pourtant Leith n'était pas de la race de Brand. Il n'était de la race de personne, on ne pouvait pas dire que c'était un militaire. Il savait dire oui aux hommes et il savait dire non à son supérieur, ce que lui, Evans, n'avait jamais pu faire. Mais du diable si, cette fois, il ne le ferait pas.

Leith les observait, son bidon dans la main.

— Evans, qui a donné l'ordre de donner à boire à M. Leith ?

— Personne, Sir, n'a besoin de m'ordonner de donner à boire à quelqu'un qui a soif.

— Cette eau est destinée au chameau.

Evans ne répondit pas. Il pensait encore à sa réponse, fier de lui. Le capitaine ne l'intimidait plus. Pour une fois, il se sentit à l'aise devant son supérieur. Il n'y avait rien à redire à sa réponse.

La clarté voilée du désert avait peut-être facilité l'audace d'Evans, sans qu'il le sût. Son attitude décontenança Brand. Son regard alla d'Evans à Leith.

— Sir, je rends à votre chameau l'eau qui lui appartient. Je n'ai pas soif, j'ai simplement voulu voir jusqu'où vous étiez capable d'aller. Merci, Evans.

Le silence de la nuit tomba sur eux. Les craquements des pierres sur l'erg, comme des détonations, entretenaient l'inquiétude et la peur. Leith s'allongea près du puits pour se créer une illusion de fraîcheur. Il était décidé à tenir jusqu'au jour.

Au milieu de la nuit, il fut éveillé par un tintement léger, il pensa qu'il avait une hallucination. Il entendit Mokrane dire à mi-voix :

— Bois.

L'Arabe avait puisé un peu d'eau et la lui tendait. Leith ne refusa pas. Il ne réussit pas à retrouver le sommeil. La pensée de ce qu'il devait faire l'effrayait encore. Il se rendait compte qu'il avait donné des armes à Brand en le laissant boire le premier, que les hommes avaient été frappés par le geste courageux du capitaine, qui, d'un coup, avait repris sa place de chef. La complicité qu'il surprenait entre Brand et Wilkins le troublait également.

Dans son isolement, il se surprit à penser à Jane et se demanda s'il ne l'avait pas vraiment aimée, pour qu'elle ne cessât ainsi de s'imposer à lui. Il tenta d'imaginer ce qu'aurait été sa vie près d'elle, puis y renonça. Ce n'eût été qu'une existence comme tant d'autres et son regret s'effaça. Il eût voulu vivre tant de vies, il y avait tant de destins possibles qu'il ne connaîtrait pas. Il se sentit perdu au milieu des hommes, perdu dans leur masse à travers l'espace et le temps, pauvre de sa misérable petite destinée à lui, qui aboutissait à une impasse et il maudit Dieu d'offrir aux hommes tant de portes pour ne permettre à chacun que d'en choisir une. Il lui eût fallu dix vies peut-être pour se trouver vraiment, apaiser sa soif, son insatisfaction. La porte de Jane s'était pourtant ouverte, mais il était trop tôt à cette époque. Il pensa tout à coup qu'elle devait dormir et qu'il ne l'avait jamais vue dormir. Quel visage pouvait-elle avoir, abandonnée au creux de la nuit ? Etrangère ? Chaque fois qu'il avait surpris le sommeil d'une femme, il en avait retiré une affreuse sensation de solitude et souvent de dégoût, comme devant un animal inconnu soudain révélé. Quelquefois il lui découvrait le visage de la mort ; une seule fois, il avait été saisi de tendresse pour une fille qui dormait en souriant. Elle était la chair même du bonheur. Mais dès qu'elle sortit du sommeil avec une expression de douleur indécise, le miracle s'effaça et il pensa à l'*Aurore* de Michel-Ange qui l'avait, un matin de mai, dans la fraîche chapelle des Médicis à Florence, si profondément bouleversé. Elle avait été pour lui l'image du désespoir de vivre. Peut-être sa fascination de la mort venait-elle de cette rencontre de Florence, alors qu'il avait dix-huit ans ? Jane dormait-elle pacifiée comme cette fille d'une nuit et chaque matin aurait-il dû assister à ce déchirement pathétique du réveil ? Il se sentit plein de tendresse pour elle.

Un homme qui rêvait à haute voix l'arracha à ses souvenirs ; il tendit l'oreille. C'était une plainte, un appel, le vagissement de l'homme, de tous les hommes perdus, angoissés, reposant au sein de la matrice de ténèbres de l'univers. Il songea que le soldat Springer ne dormirait plus, tranquille, au flanc tiède de Dora. L'homme qu'il était, étendu, près du puits, lui apparut maintenant un étranger, un être atroce, auquel il ne restait à accomplir qu'un geste, inéluctable et cependant nécessaire. Un geste qu'il voulait dépouillé de haine et dont la signification n'aurait de sens que pour lui-même : celui de la protestation contre la médiocrité, l'imposture et l'absurdité d'un monde construit contre l'homme et son désir d'absolu et de pureté. Après, il n'aurait plus qu'à attendre dans la paix sa triomphale destruction finale. Il se sentit rasséréné. Pour la première fois, il accédait à une certitude, il s'abandonnait à cette obscure et tragique joie en pensant qu'il ne lui resterait plus qu'à vivre cette minute ultime sans faiblesse. Il avait froid ; il s'éloigna légèrement du puits et plaça une pierre sous sa nuque ; les yeux au ciel, comme un gisant, il attendit que les étoiles pâlissent et que le jour lui offrît de mépriser encore un peu plus Brand, afin de faciliter sa tâche avant qu'il ne fût trop tard pour tous.

Brand se retournait sans pouvoir trouver le sommeil ; il pensait à Leith et à Jane : « Vous avez sans doute l'habitude d'envoyer le potage à la tête de Mrs. Jane Brand ? » Il n'avait pas pu répondre, comme si c'eût été vrai. Il sut qu'il ne l'avait jamais fait, mais que c'était cependant vrai, que quelque part en lui le geste était possible, que, sans son éducation, il eût fait comme son père quand il rentrait ivre. Et il eut le sentiment que la chose s'était passée, bien qu'elle fût pourtant encore dans l'avenir. Il lui sembla vivre la scène. Il se vit interrogeant Jane sur Leith. C'était le soir de son retour victorieux à Ismaïlia. La table était servie, Jane avait le visage défait ; les blondes ne savent pas pleurer secrètement...

— Tu n'es pas heureuse de mon retour ?

— Oh ! si, David, mais je songe à toutes ces souffrances, à tous ces morts dans les sables du désert.

— C'est la guerre, Jane.

— Oui.

— Tu penses à Leith ?

— Oui.

— Tu aurais peut-être préféré que ce soit lui qui revienne plutôt que moi, n'est-ce pas ?

Elle avait levé les yeux et fondu en larmes, alors il avait envoyé le potage à travers la pièce en bousculant la table. Jane n'avait pas bougé.

— Ah ! je comprends maintenant sa lâcheté, son désir de vouloir dresser les hommes contre moi. Il avait envie de me tuer, je le sais, mais j'ai été le plus fort. Car je suis le plus fort et j'aurai Leith. Je gagnerai. Elle l'aime et il la connaît, c'est sûr...

Il se retourna encore sur le sol dur. Il avait soif.

— Allez, parle Jane, qu'a-t-il été pour toi, le brillant Leith, qui avait peur du sang ? Ton Leith qui achevait les blessés, allons, parle, tu l'aimes depuis longtemps ? Il a été ton amant ? Souviens-toi de cette soirée au club. Tu as dit quand tu as su que je partais : « Comme c'est merveilleux, David ! » Il était là et tu t'es tournée vers lui. J'ai su à ce moment-là. Et puis, je vais te dire encore quelque chose : il te connaissait depuis des années, il t'aimait, il me l'a avoué... Eh bien, finis les rêves, il n'y a plus de lieutenant Leith. Tu me restes pour payer, jour après jour, le prix de la paix que tu m'as ôtée.

Elle s'était enfuie dans sa chambre et il l'avait rejointe et réduite, prise de force, comme la fille de la zériba, cette autre victoire empoisonnée.

Il se surprit à penser que, ce soir, il ne s'était pas inquiété de savoir s'il était malade. Il calcula qu'il lui fallait attendre au moins trois jours encore pour être tout à fait sûr. Il ne passait pas d'heure sans que cette idée le harcelât, latente en lui, elle le réveillait même au fond de la nuit. Par une sorte de ruse de l'esprit, il ne s'accrochait qu'à une certitude à venir, à brève échéance. Elle serait le signe favorable pour sa délivrance d'une pensée plus grave qui faisait son chemin et le rongeait. Le test des jours pourtant, il le savait bien, ne lui révélerait pas si le pire s'était produit et il se vit soudain avec horreur, atteint insidieusement dans son sang. Le capitaine Brand obligé de suivre le régime, de subir les piqûres au su de tout le monde, dans la queue des muletiers et des soldats au General Dispensary, interné dans la section des « V. D. » *. Les initiales le frappèrent ; affolé, il songea qu'il préférerait se suicider, puis il sut qu'il n'était pas sincère et ne pourrait jamais se résoudre à le faire. Il se mit à maudire la fille aux yeux de biche, impénétrable, et douce, à se mau-

* *Veneral diseases.*

dire lui-même d'avoir cédé à son brutal désir. Il se chercha des excuses sans savoir qu'il se condamnait, ignorant que, pour la première fois de sa vie, il avait osé franchir le « Off limits » dans lequel ses peurs l'avaient enfermé. Il n'arrivait à retrouver cette sensation triomphale, cette impression de liberté qu'il avait éprouvée avant de sortir de la « cagna » quand la fille vaincue suivait du regard David Brand, un homme comme tant d'autres, mais dont la faiblesse pathétique venait d'être vaincue. Pour lui, ce n'était qu'un piège né des événements qui avait brisé sa force, sa dignité et dépouillé son armure en lui faisant transgresser ses règles. Il n'admettait plus sa responsabilité, pour la seule fois de sa vie où il avait été libre, en dehors de toutes les contraintes imposées, où il avait osé être Brand dans toute sa sincérité.

Il attira à lui le sac à pharmacie et l'ouvrit à tâtons. Il en retira la boîte de quinine et avala deux pilules. Il songea qu'il lui faudrait en distribuer un peu le lendemain ; Evans l'avait déjà réclamé. Celui-là aussi entendrait parler de lui à Ismaïlia. Puis son angoisse le reprit. Il y avait encore des centaines de kilomètres à parcourir avant d'être hors de danger et le prochain puits était à trois jours de marche, sans réserve d'eau suffisante. Il s'abandonna à son désespoir. Ils le détestaient tous : les officiers parce qu'il avait réussi, les hommes parce qu'il exigeait de la discipline. Et Jane parce qu'elle aimait Leith. Il n'avait devant lui que la menace des puits à sec et la mort qui les attendait. L'idée que Leith pût lui survivre le révolta.

Pour le capitaine Brand, il y avait un homme de trop, un seul, en cet instant sur la terre, et Leith prit le visage du mauvais sort qu'il fallait anéantir. Ce n'était pas possible autrement. Comme une bête, il se ramassa sur lui-même. Il pensa qu'à la dernière extrémité, il y aurait encore le chameau. Il pourrait dire qu'il fallait que quelqu'un arrivât rapidement à Ismaïlia pour envoyer des secours par avion. Il songea à Wilkins pour l'accompagner et il laisserait attendre les autres. On ne retrouverait personne . . .

— Capitaine Brand, vous avez abandonné vos hommes.

— Non, Sir, nous sommes les seuls survivants, Wilkins et moi.

Qui pourrait dire le contraire ? Et il prendrait Wilkins comme ordonnance, à moins que . . .

Et Brand se mit à pleurer silencieusement. Il pleurait sur ses hommes, sur les rigueurs de sa mission, sur les souffrances qu'il endurait, sur Jane qui l'avait trahi.

— Ne pleurez pas, capitaine Brand ! Nous savons, c'est dur . . .

Non, ils se trompaient tous, ils ne savaient pas pourquoi il pleurait. Jane ! Jane ! . . . Il eut peur d'avoir parlé à haute voix et se dressa inquiet. Quand sa crainte fut dissipée, son tourment le reprit : Jane de nouveau présente, qui devait être au club à cette heure, entourée d'une cour d'autres Leith. Elle tirait son prestige de lui :

le capitaine Brand qui avait réussi le raid sur Benghazi. Mais elle ne pensait pas à sa souffrance.

— Me ferez-vous l'honneur de m'accorder cette danse, Mrs. Brand ?

Et elle dansait, flattée, insouciante. Un peu plus de haine entra dans le cœur de Brand et pourtant un étrange désir d'elle lui venait. Il la suppliait. N'était-elle pas le témoignage, la seule certitude sur lesquels David Brand, fils d'un officier déchu, pouvait croire qu'il avait vaincu son passé et ses origines ? Il lui en voulait de sa légèreté, de ne pas être en train de pleurer dans la solitude sur sa misère à lui. Veuve, elle se remarierait ; cette idée lui fut insupportable et ranima sa haine contre elle et Leith.

Le capitaine Brand pleurait de fatigue, d'angoisse, d'ambitions bafouées et de désespoir, dans une sorte d'exaspération délirante issue de sa faiblesse sans qu'il le soupçonnât. Peu à peu, à force de pleurer sur son malheur, il s'apaisa, soulagé, et le sommeil vint.

8

Jane venait de reconduire le major Callander. Il l'avait réconfortée. Tout n'était pas perdu. La décision était prise au Q. G. Callander avait pesé de toutes ses forces pour que des reconnaissances aériennes fussent envoyées sur l'itinéraire prévu pour le retour. Des vivres seraient parachutés et, si le terrain de rencontre s'y prêtait, on enverrait des Lysanders, on établirait une navette. Jane ignorait tout l'entêtement qu'avait mis Callander pour parvenir à un tel résultat L'imminence d'une attaque générale n'avait pas facilité les choses et le G. P. n'avait rien fait pour l'aider.

— Le but est atteint, Callander, c'est l'essentiel.

Il avait dû le prendre sur le plan de l'efficacité militaire, bien qu'il n'y crût pas.

— Ils rapportent une documentation qui est peut-être intéressante pour la préparation de nos opérations, Sir !

— Evidemment, mais j'hésite en ce moment à demander la mise sur pied d'une affaire qui nécessite de faire appel à de nombreux services en pleine préparation d'offensive.

— Et alors, Sir, s'ils ne réussissent pas à revenir ?

— Brand reviendra, Callander, il a très bien réussi jusqu'ici.

Alors, Callander avait manœuvré seul son collègue des Renseignements et l'affaire s'était faite. Elle était en préparation. Dans quelques jours, on passerait à l'exécution.

Ce soir, Jane était heureuse. Le nom de David chantait dans son cœur. David qui avait réussi sa mission et détruit une importante formation allemande du désert, avait dit Callander. Elle entendait encore le major : « Les Allemands ont accusé le coup, ils ont donné des instructions radio dont nous avons eu connaissance qui prouvent que le commando est passé à travers tout jusqu'ici et leur a infligé de sérieuses pertes. »

Elle avait été très fière de David, un peu comme d'un enfant qu'elle aurait tenu à bout de bras pour l'encourager, le soutenir. Elle était pour quelque chose dans sa réussite et il ne s'en doutait pas. Elle songeait à toute la patience qu'elle avait eue avec lui, à toute la confiance qu'elle avait dû lui inspirer pendant ce mois d'entraînement où il était si sombre, irritable et injuste, si différent de Leith.

Elle s'aperçut tout à coup que le major Callander n'avait pas prononcé le nom de Leith.

Elle en fut troublée et se souvint de la première visite du major. Elle eût aimé que celui-ci en parlât et se rendit compte qu'elle les associait étroitement dans le succès de ce raid. Leith avait été, dans son attente anxieuse, l'espoir auquel elle s'accrochait. Il était si fort, si intelligent, si rapide et clair dans ses décisions, que sa présence auprès de David l'avait rassurée, réconfortée.

Jane était trop nerveuse pour trouver le sommeil. Elle alla s'asseoir dans un fauteuil et alluma une cigarette ; son imagination parcourait le désert. Elle voyait David et Leith, côte à côte allongés sur le sol dans la grande nuit froide. Ils devaient chaque soir parler ensemble. Peut-être parlaient-ils un peu d'elle ? Cette idée la troubla tout à coup et le souvenir de la première visite de Callander lui revint, plus vif. Pourquoi Leith avait-il mentionné de la prévenir en cas de mort ? L'avait-il vraiment aimée ? L'aimait-il maintenant sans qu'elle s'en fût rendu compte ? Ou bien la considérait-il comme sa sœur, comme le seul être qui eût compté dans sa vie solitaire ? Elle se sentait si en sécurité en sa compagnie, si libre malgré tout le mystère qu'il portait en lui depuis toujours et qu'elle n'avait jamais su percer. L'avait-elle aimé ? Elle pensa qu'elle n'en savait rien.

Elle se leva et se dirigea vers le cabinet où s'entassaient les malles-cabines. Elle ouvrit la sienne et revint s'installer dans son fauteuil. Ce fut seulement quand elle ouvrit la boîte qu'elle se rendit compte de ce qu'elle était en train de faire. Un long moment, elle resta indécise. David avait vaincu, fait face à une mission difficile, il allait lui revenir glorieux, et elle se reprocha d'avoir douté de lui, de l'avoir harcelé quand elle le trouvait hésitant, timoré, alors que son attitude n'était peut-être que le signe d'un calme naturel. Pourquoi sa joie n'était-elle pas pure ? Et en ce moment, que cherchait-elle de plus ? Quelle force la poussait à fouiller dans cette boîte ? Il lui avait suffi de penser à Leith, d'avoir retrouvé Leith tant d'années après pour qu'il entrât à nouveau dans sa vie, comme s'ils ne s'étaient jamais quittés et que l'accord renaquît immédiatement. Pourquoi alors n'avait-elle rien dit à David ? Elle vit des lettres de l'écriture fine et serrée de Leith. Elle n'osa pas les ouvrir, comme si, le faisant, elle eût trahi David. Mais au passage, ses yeux captèrent une phrase, un mot :

J'ai pensé à toi sur le Ponte Vecchio. Il était six heures du matin et j'étais seul dans la fraîcheur du levant. Jane, les eaux de l'Arno chargées des terres de Toscane, avaient l'éclat blond et pâle de tes cheveux, avec un soupçon laiteux, la racine de ton cou.

Je t'ai écrit bien des folies. Je m'étais juré cependant de t'envoyer le reportage de mon voyage. Alors, aujourd'hui, d'abord un bulletin météorologique . . .

Il ne mettait jamais rien en tête de ses lettres. Elle eût aimé y lire son prénom. Malgré elle, elle retourna le paquet de lettres pliées, pour lire la fin.

A demain, femme de science.
J'espère que vos flirts prospèrent.

Elle fut déçue et triste. Une, pourtant, se terminait différemment.

J'aurais voulu t'avoir près de moi, étendue, sur cette plage. Alors, peut-être la magie de cette nuit eût-elle eu un sens et moi pour toi et toi pour moi.

Elle contempla la lettre et regarda d'où il l'avait expédiée : « Sorrente. »

« Etendue près de lui ! » Quelques mois après, en se souvenant de cette lettre, elle l'avait fait. Trois jours plus tard, il était parti pour ne plus la revoir et il ne restait de cette journée, où elle s'était sentie si près de lui, qu'une photo. Elle la chercha au milieu des lettres. Et, quand elle l'eut trouvée, elle se mit à pleurer. Leith était en bras de chemise, le col ouvert, son blazer jeté sur l'épaule, hautain et négligé, ses cheveux noirs, vigoureux, dépeignés, elle, près de lui. Il regardait de ses yeux verts et durs, loin, attentif, comme s'il était seul. Elle eut le sentiment qu'elle n'existait pas pour lui dans l'instant où ils avaient été fixés sur la pellicule. Alors, sa joie brisée, elle referma la boîte, mécontente d'elle-même, lasse.

Elle alla la remettre dans la malle, après avoir hésité à la détruire.

Quand elle revint dans le salon, elle s'attarda devant la photographie du capitaine David Peter Brand en officier du 6e Gurkha, impeccable et raide. Elle l'imagina major, colonel, général. Il aurait la même grande allure et le même regard indécis. Un sourire triste l'effleura et elle alla se coucher, malheureuse et troublée. Elle eût désiré que le cadre contînt la photo de Leith, de Bunny en grande tenue. Pourquoi avait-il manifesté tant de désinvolture pour tout ce qui donne un équilibre à la vie ? Pourquoi avait-il toujours méprisé ce qu'elle tenait pour nécessaire, ri de la considération qu'on attachait aux diplômes qui sanctionnaient sa valeur ? . . .

— Me voilà meilleur aujourd'hui qu'hier, avait-il dit un jour. Pourtant, je n'ai pas éprouvé le sentiment d'un profond changement, il ne m'a pas poussé au cours de la nuit des ailes d'ange.

C'était le lendemain du jour où il avait été diplômé en archéologie. Et quand il avait revu Jane, au Caire, il avait regardé l'insigne de son grade en ironisant :

— Ce petit morceau de métal est censé donner conscience de ma valeur aux yeux des hommes et sans doute aussi à mes propres yeux. C'est comique de voir comme ce petit hochet est respectable en lui-même ! — Et il avait ajouté :

Vous voyez, Jane, je n'ai guère changé, je suis toujours pour une humanité d'hommes nus.

Elle se demanda si ce n'était pas par réaction contre cette attitude, qui l'avait toujours exaspérée, qu'elle s'était jetée dans les bras de David. D'un David sans mystère, qui avait depuis longtemps déjà acheté ses insignes de major, qu'il serrait dans sa cantine, et sortait de temps à autre pour les contempler. « Elles feront bien sur tes épaules, David. »

Malgré la satisfaction qu'elle en éprouvait, un sentiment fugitif de puérilité la traversait. Et ce soir, elle ne savait plus où était la vérité dans son cœur et le sommeil fut long à venir. Seule, la pensée consolante de la décision de Callander lui apporta un peu de paix.

9

Le soleil se levait. Leith, allongé, s'étira. Il resta immobile un moment, affermissant sa résolution d'en finir avec Brand aujourd'hui même, quitte à le lier sur le chameau. A la première occasion, il provoquerait l'éclat. Il savait sur quel ressort appuyer pour déclencher une crise.

Mokrane suivit le regard de Brand, et se rendit compte qu'il observait Leith, à demi caché aux yeux du Bédouin par les pierres du puits. Brand était impassible, le visage tendu dans une sorte d'attente tour à tour inquiète et joyeuse. L'Arabe s'interrogeait sur le sens de cette transfiguration du capitaine. Il tourna la tête pour regarder Leith. Il le vit s'asseoir, se frotter les yeux, sonder l'horizon. Mokrane s'aperçut alors que ce n'était pas Leith que fixait Brand, mais un point quelque part, au sol, près de Leith. Il crut que Brand devenait fou, quand il vit un sourire sur son visage. Incrédule, l'Arabe ne comprenait pas ; le cri de Leith le fit bondir.

Brand avait repris son masque aux yeux glacés. Seule, sa respiration trahissait son émotion.

Il avait aperçu le scorpion palmé près de la jambe de Leith, en train de regagner l'ombre des pierres du puits. Il avait été sur le point de crier pour le prévenir, en voyant la bête se mouvoir lentement. Puis chaque hésitation de l'animal avait retenti en lui. La vue de la cheville nue de Leith, sur le chemin du scorpion, l'avait amené au seuil de la défaillance. Une sorte de jouissance étrange le paralysait, l'empêchant de quitter la bête des yeux, comme si de cet abandon dépendait son propre destin. Il fut sur le point d'appeler Leith pour le faire bouger afin de précipiter le coup meurtrier, puis il eut peur que le mouvement ne fût pas celui qu'il espérait. Il lui sembla que le supplice de cette attente ne s'achèverait jamais et il était obligé de se dominer pour ne pas crier. Un instant, il ne sut plus s'il voulait sauver Leith ou laisser la bête le tuer. « Que le destin s'accomplisse », pensa-t-il. Dieu allait-il venir à son aide ? Au fond, il aurait pu encore être allongé, dormir et n'avoir rien vu. Puis ce fut le vide dans sa pensée ; il resta fasciné dans son attente. Il avait pressenti le cri de Leith quand il avait vu, le temps d'un éclair, le mouvement du pied et le coup de marteau de la bête.

Il hésita à se lever, puis regarda autour de lui en disant, étonné :

— Que se passe-t-il ?

Alors il accourut vers Leith sur lequel Mokrane s'était déjà jeté. L'Arabe, la cheville près de ses lèvres, suçait le poison en le recrachant aussitôt. Leith, verdissant sous son hâle, aperçut Brand au-dessus de lui. Il sortit son poignard et le lui tendit en repoussant Mokrane.

— Ouvrez la morsure, Brand, dit-il en le fixant.

Le capitaine tremblait en saisissant l'arme.

— Dépêchez-vous.

Les hommes faisaient maintenant cercle autour du blessé. Brand, le poignard à la main, ne bougeait pas.

— Salaud ! dit Leith. Il lui arracha l'arme et, d'un coup sec, il ouvrit le point noir qui s'auréolait déjà d'un cercle rouge et fit saigner la plaie.

— Ne vous en faites pas, Sir ; à ma connaissance, il n'est pas mortel, dit Evans qui arrivait. Il écarta les hommes et ses doigts coururent sur la jambe de Leith pour en faire jaillir le sang.

La phrase d'Evans arracha Brand à son immobilité.

— La pharmacie, dit-il.

— C'est inutile, dit Leith, je crois qu'il n'y a plus rien dedans pour cela.

Malgré les efforts d'Evans, le cerne rouge grandissait et Leith sentait la brûlure l'envahir.

Brand ne savait quelle décision prendre. Pourtant il donna l'ordre de puiser de l'eau si possible, puis de rebâter le chameau et chargea Barton de surveiller le puits.

Mokrane apporta à boire à Leith, et Barney, à l'écart, passait en revue les médicaments et les pansements. Brand aurait voulu dire quelque chose à Leith, mais les autres le gênaient. En se relevant, le Bédouin le vit près de lui et dit entre ses dents :

— Tu l'as tué.

Brand ne répondit pas, il s'adressa à Leith :

— Leith, je ne pouvais pas trancher dans votre jambe, c'est plus fort que moi, vous le savez bien ? Je vous l'ai dit.

Il était humble ; Leith le regarda et découvrit sa misère.

— Ah ! c'était cela, à Benghazi aussi, n'est-ce pas ? . . .

— Oui, dit Brand.

— Non, tu l'as tué, répéta Mokrane.

— Tais-toi, Mokrane, dit Leith, tu ne peux pas savoir. — Puis, se tournant vers Brand : — Excusez-moi pour tout à l'heure.

Mokrane tourna les talons et alla s'asseoir à l'écart. Evans ne comprenait pas ce qui se passait entre eux. Il regarda l'Arabe qui fixait Brand, le meurtre dans les yeux. Le capitaine tourna la tête comme si le message mortel l'avait frappé et l'Arabe lui cria :

— Tu l'avais vu.

Mal à l'aise, Brand se retourna vers Evans et Barney qui pansaient la plaie. Leith se raidissait contre la douleur qui montait en lui et les nausées qui commençaient. Quand il fut pansé, il se leva. Il commençait à transpirer. Toute son énergie était tendue contre la douleur. Il esquissa un sourire triste en s'appuyant sur l'épaule d'Evans.

— Je ne sais pas si j'irai très loin, dit-il.

La phrase résonna dans le silence. Elle les frappa tous de peur et de pitié. Ils songeaient à eux-mêmes, à tout ce qu'elle pouvait signifier, là où ils étaient. Chacun se vit couché sur le sable, sous le soleil, se traînant avant de mourir.

Ce fut Wilkins qui rompit le silence ; il s'était approché de Leith.

— Sir, je vous aiderai, dit-il. J'ai pas souvent vu des gars comme vous s'ouvrir la peau comme ça. Donnez-moi le bras . . . Et puis, merde ! . . . Il y a le chameau si ça ne va pas.

Il abandonna le bras de Leith et se dirigea vers le chameau.

— Non, Wilkins, le chameau est réservé pour les documents et les vivres. Nous verrons plus tard.

Il eut un sourire étrange, résigné. La sueur coulait sur son visage ; il commença à frissonner.

Brand s'affairait autour du puits. Les hommes essayaient de manger leur ration de galettes sèches. Bientôt, tout le monde fut prêt au départ. Le capitaine ne se décidait pas à en donner l'ordre ; les hommes le regardaient, curieusement lui semblait-il. En réalité, ils attendaient.

Leith se mit en marche ; il boitait et faisait un immense effort pour se tenir droit. Un goût amer lui envahit la bouche. Les hommes le regardaient à la dérobée. Il avait refusé le secours de Wilkins et de Barney. Barton et Evans marchaient près de lui, silencieux. Il essaya de parler, mais l'effort lui coûtait trop. Brand avait pris la tête de la colonne et il était tenté d'accélérer l'allure ; les murmures derrière lui le contraignirent à ralentir. Il en voulut aux hommes qui prenaient maintenant le parti de Leith. Mokrane, sombre, en queue, conduisait le chameau. Il regardait sa charge et pensait à Leith — Leith, qui ne savait pas que Brand avait vu le scorpion et ne l'avait pas prévenu. Il le lui dirait.

Leith songeait au sort qui l'attendait. Il savait qu'il n'irait pas loin ; seul le chameau pouvait le sauver, mais son orgueil se refusait à le demander à Brand. Il désirait que le capitaine allât jusqu'au bout de son entêtement maintenant que lui n'y pouvait plus rien. Il posa les yeux sur ses compagnons et une curieuse pitié entra en lui. Il les vit livrés aux caprices de l'angoisse, à la folie de Brand. Un instant, il se révolta contre son destin et il sut alors qu'il approchait de la vérité qu'il cherchait, que son mépris était aboli, qu'il les respectait tous pour le meilleur qu'ils portaient en eux, même Wilkins. Il eût voulu pouvoir prier pour eux et il songea à l'orgueilleuse phrase qu'il avait lancée un soir à Jane : « Si je pouvais prier, le jour où Dieu répondrait à ma prière, je ne prierais plus. Tout serait trop simple et trop stupide. » Il haussa les épaules comme s'il s'adressait à quelqu'un et Barton se tourna vers lui, l'interrogeant du regard.

— Ce n'est rien, dit Leith en se ressaisissant, un frisson de fièvre seulement.

— Ça va ?

— Oui, ça irait mieux si le capitaine marchait moins vite ; mais il a raison, le prochain puits est loin, trop loin . . .

Il semblait moins souffrir, son visage était pacifié.

— Dans quarante-huit heures, dit-il, je pense que j'aurai la jambe infectée, avec cette chaleur, ces mouches et cette soif. Alors Barton, Evans, c'est sur vous que reposera l'avenir de cette colonne ; Brand deviendra fou, je le sais, il l'est déjà, souvenez-vous de M'Sous.

Il se tut et s'arrêta pour vomir, les deux autres le soutenaient ; quand il fut calmé, il se tourna vers eux.

— L'homme est un être lamentable, dit-il.

Barton le regardait sans pouvoir parler.

— Sir, ces bêtes-là vous remuent toujours, mais, je vous le dis, on n'en meurt pas.

— Ce serait dommage ! dit Leith.

— Voyons, Sir, ne parlez pas comme ça.

— Evans, c'est sans importance.

Puis, comme s'il s'adressait à un auditoire, sur le ton d'un conférencier, il se mit à parler lentement :

— J'ai cru, après avoir étudié l'Histoire, que ma vie d'homme pouvait prendre son sens en la liant à celle-ci. Ce n'était qu'une escroquerie de plus. J'aurais dû le savoir. Elle n'a jamais apporté de réponse aux hommes. Il faut chercher ailleurs ou être assez borné pour se contenter de la réponse des grands prêtres. Me voici donc soldat, si j'ose dire, par erreur. Un soldat qui ira jusqu'au bout de l'escroquerie. J'ai voulu vaincre ma culture, être un barbare apte à l'action ; je n'ai pu détruire ma lucidité et voilà pourquoi je suis encore l'homme d'une interrogation qui reste sans réponse.

Il s'arrêta, comme à bout de souffle. Evans pensa qu'il délirait quand il reprit :

— Je vous envie tous les deux. Vous aimez quelque chose et, voyez-vous, je pense que moi aussi j'allais commencer à croire et à aimer la vie, car j'ai peur pour vous tous. Wilkins n'est pas si mauvais, Brand lui-même aurait voulu avoir un ami, sa méfiance et sa peur le tuent, c'est son malheur et ce sera le vôtre. J'ai toujours pensé que c'était au plus profond de la solitude que gisait la liberté. Je crois que c'est une erreur, qu'elle ne saurait être payée un tel prix. Il faut aimer . . .

« Il faut aimer », se répéta-t-il à lui-même.

Le soleil commença à accabler les hommes après deux heures de marche. Brand donna l'ordre de s'arrêter et il vint près de Leith.

— Comment vous sentez-vous ? dit-il.

— Ça va.

Et, comme si l'angoisse qui pesait sur eux tous les rapprochait, Brand installa Leith plus confortablement sur le sol. Dès cet instant s'imposa la certitude qu'il repoussait de toutes ses forces : il fallait qu'il eût déjà le visage de la mort pour que Brand ait eu ce geste. Il se laissa faire. L'approche précautionneuse de Brand le frappait, il lui semblait qu'il voulait lui demander quelque chose mais ne s'y décidait pas.

A l'écart, Mokrane les regardait, impénétrable.

Brand, pensif, s'était assis près de Leith ; il tortillait nerveusement sa courroie entre ses doigts.

— Croyez-vous que vous allez tenir le coup ?

Le ton de la question crispa Leith. Il y sentit une inquiétude. Il resta un long moment indécis. Peut-être Brand avait-il soudain la crainte de le voir mourir ? A moins que ce ne fût la crainte contraire.

— Vous n'êtes pas simple, Brand.

— Comment ?

— Attendez-vous ma mort, ou la craignez-vous ?

— Leith !

— Ne dites rien. Je sais qu'elle vous rassurerait, mais je sais aussi que, dans une certaine mesure, vous avez besoin de moi.

Le capitaine ne répondit pas et Leith poussa son avantage.

— Au fond, Brand, je ne vous aime pas ; vous êtes même le type d'homme que je déteste le plus, mais j'aurais voulu vous aider, pas pour vous seulement. Vous me comprenez ?

— Non.

— Si. Elle a besoin de votre victoire pour être une femme heureuse. Ce n'est pas vous qu'elle aime vraiment, c'est ce que vous pouvez représenter par votre réussite ; et vous, vous avez besoin de celle-ci pour croire en vous, vous vider de vos faiblesses, de vos rancœurs. Encore que je ne sois pas sûr que ce soit suffisant, car vous saurez toujours, au fond de vous-même, que vous n'êtes pas pour grand-chose dans le succès de l'entreprise, si elle réussit.

— Comme vous me méprisez !

— Oui, je vous vois en ce moment guetter sur mon visage les traces de la souffrance, je sais ce que vous pensez et ça vous gêne. Je ne veux pas être dupe de votre sollicitude de tout à l'heure, vous voulez mettre en règle votre petite comptabilité. Mais, voyez-vous, Brand, si je tiens cinq jours, vous serez obligé de vous résigner à me voir vivre, à être le témoin silencieux de vos peurs. Je vous vois arriver à Ismaïlia triomphant et fêté, et votre joie empoisonnée par ma présence . . . J'ai soif.

— Vous vous trompez, dit Brand en lui tendant son bidon.

— Comme vous savez bien ruser avec vous-même ! . . . Et Leith but deux gorgées lentement. Merci, Brand. Vous avez meilleure conscience, maintenant ?

L'autre ne répondit pas, il se leva sans un mot et donna l'ordre de reprendre la route.

Jusqu'au soir, Leith réussit à se maintenir, malgré la fièvre qui l'envahissait et la tache rouge foncé, noire en son centre, qui s'était étendue. Il n'avait plus aucune sensibilité et le bas de sa jambe était glacé. Il avait souffert atrocement de la soif. Barney lui avait donné à boire un peu d'alcool qui le soulageait de sa douleur mais accentuait sa soif. Soutenu par le vieil Evans, il marchait comme un automate, prononçant des mots sans suite. Quand il fut allongé sur le sol, épuisé, le délire s'empara de lui. Mokrane s'était assis à son côté.

— Il faudrait lui couper cette fièvre, mais demain il sera trop faible pour marcher, dit Barney.

— Il faut qu'il tienne deux jours, après il est sauvé, dit Evans.

— A moins que la plaie ne s'infecte, et j'en ai peur.

Evans se leva et rassembla les hommes.

— Garçons, nous n'avons qu'une infime ration d'eau pour tenir jusqu'après-demain, mais ceux qui ont du courage m'en donneront un peu pour le lieutenant Leith. Il faut qu'il boive beaucoup, sinon, c'est fini pour lui.

Pas un homme ne bougea. Ils étaient hagards, hébétés.

— Allons, les gars !...

— Fallait pas en donner au chameau, dit une voix.

— Je sais.

Evans les laissa. Il savait que, maintenant, c'était chacun pour soi, que demain il y en aurait qui délireraient sur la piste et s'abattraient en griffant le sable pour ne plus se relever. Il admira le courage de Leith et, fatigue ou désespoir, la vieille mule d'Evans versa une larme.

Il demanda des comprimés à Brand.

— Je crois, Evans, que ça ne sert à rien. Il vaut mieux les garder pour les hommes.

— C'est juste, dit Evans, je vais faire la distribution.

— Demain matin.

— Ils n'ont plus le courage de manger, Sir.

— Moi non plus.

— C'est bon, on est en train de devenir tous dingues. Il y aura du vilain, Sir. Les hommes se regardent tous comme des chiens enragés. J'ai déjà connu ça une fois dans ma vie.

— Que voulez-vous que j'y fasse ?

— Le puits est à deux jours ; envoyez deux hommes sur le chameau avec tous les bidons. Demain dans la soirée, ils seront de retour.

— C'est une excellente idée, Evans, mais il faudrait être sûr que ceux qui partiront reviendront et retrouveront leur route.

— Mokrane.

— Je n'ai pas confiance, laissez-moi réfléchir.

Evans retourna auprès de Leith délirant, dont Barton soutenait la tête, assis à son chevet. La voix montait dans la nuit, incantatoire et tragique.

— Vous voyez les fresques des amours, les rouges et les noirs de Pompéi. Rouge et noir. Noir et blanc des Arabes . . . Tout est-il si simple ? Merveilleuse aventure humaine ! Amour et haine ... Où est la certitude ? La certitude immobile, sclérosante ... Vous êtes des vieillards tranquilles, émasculés avec vos certitudes ... Fonctionnaires de la certitude ... Jane, tu es en train de mourir ...

Evans et Barton se regardèrent.

— Qu'y a-t-il ? dit Brand qui s'avançait.

— Il délire, Sir, dit Barton.

Evans se mit à frictionner lentement la jambe enflée et douloureuse, il avait envie d'envoyer promener le capitaine, de le faire taire.

— Barton, réveillez-moi, s'il arrive quelque chose.

— Il n'est pas encore mort, Sir, rassurez-vous, dit Evans en tournant la tête.

Brand alla se rasseoir à l'écart.

La nuit était tombée ; de temps en temps, un cri de cauchemar jaillissait du sommeil des hommes, déchirait le silence.

Evans somnolait au flanc de Leith assoupi ; Barton, de l'autre côté, dormait aussi. Ils le protégeaient de leur chaleur, contre la nuit glacée.

Ce fut un hurlement atroce de bête égorgée qui les tira du sommeil. En un instant, tous les hommes furent debout, apeurés.

Brand tenait déjà son colt à la main. Dans la clarté de la lune, il cherchait à se rendre compte de ce qui venait d'arriver. Il courut vers Evans et Barton qui regardaient Leith dormant, la jambe agitée d'un mouvement de convulsion spasmodique.

— Non, ce n'est pas lui, dit Barton.

Un râle et une ruade attirèrent leur attention vers le chameau. Ils s'y précipitèrent.

Mokrane avait ouvert le ventre de la bête. Il la dépeçait, le regard fixe, et ne sembla pas les avoir entendus venir.

— Mokrane ! hurla Brand en brandissant son arme.

L'Arabe se tourna alors vers eux.

— Ne tire pas encore, dit-il.

Ils le regardèrent sans comprendre. Ce fut Evans qui rompit le silence :

— Laissez-le faire, Sir. J'aurais dû y penser plus tôt. L'ammoniaque.

— Comment ?

— Oui. Dans le désert, le chameau est la plus complète des pharmacies. Et il s'agenouilla près de l'Arabe pour l'aider.

Mokrane fouillait la bête étendue sur le flanc pour trouver la vessie et les viscères. Comme si la distance du grade n'existait plus entre Evans et lui, il dit :

— Saigne-le vite avant qu'il ne soit trop tard et recueille le sang.

— Mokrane !

Brand ne pouvait plus parler, la fureur le paralysait. Il voyait sa dernière chance lui échapper, mais il n'osait pas abattre l'Arabe. L'assurance d'Evans lui en imposait ; il tourna sa fureur contre Barton quand il l'entendit dire :

— C'est le seul qui puisse nous sauver tous. Ils savent vivre dans le désert.

— Vous appelez cela nous sauver, en tuant le seul chameau que nous ayons.

Le petit Barton se tourna vers le capitaine et fut surpris par sa propre réponse :

— Vous n'espériez pas nous charger tous dessus, Sir ? . . .

Les hommes faisaient cercle. Au premier rang, Wilkins dit :

— Crevez pas la panse surtout, sergent. Y a de la flotte dégueulasse dedans, mais de la flotte quand même . . . Et, se tournant vers les autres, il ajouta :

— Elle me botte, moi, la petite Mokrane . . . Elle est pas dégonflée.

L'Arabe, les bras plongés dans le ventre de la bête, arrachait les viscères. Quand il tint la vessie dans ses mains, il fit deux ligatures avec une bande de sa djellaba, puis il se releva. Un sourire flottait sur son visage luisant de sueur. Un sourire qui étonna les hommes et les laissa muets. Il les écarta et se dirigea vers Leith. Ils le suivirent, silencieux, pendant qu'Evans continuait à trancher dans la bête.

Avec les précautions et le recueillement d'un prêtre, Mokrane s'agenouilla, puis il se mit à parler doucement en arabe, s'adressant à Leith :

— Je n'ai pas, pour toi, « laissé paître la chamelle dans le champ d'Allah, le Miséricordieux », mais je n'attends pas le châtiment douloureux. Allah est grand. Il sait. Il a fait pour nous de gros chameaux pour les cérémonies, pour que nous lui en soyons reconnaissants. Eveille-toi, il est fort, puissant et généreux.

Sa main caressait les cheveux de Leith. Les hommes regardaient, fascinés, envahis par un respect sacré, flottant dans une sorte d'irréalité. Leith ouvrit les yeux. Ils allèrent de l'un à l'autre, incrédules, hagards ; puis ils se posèrent sur le Bédouin qui lui souriait.

— Mokrane !

— Il faut boire.

L'Arabe prit la vessie et en glissa le col entre les dents de Leith, en soutenant sa tête, puis il dénoua une ligature.

— Bois, même si c'est mauvais ; la souffrance est l'épreuve de toute joie.

Leith se laissa faire ; les mains nerveuses de l'Arabe pressaient la vessie comme une outre. Au bout d'un moment, il la retira. Puis avec une partie des viscères, il se livra à un mystérieux travail, et appliqua un emplâtre sur la jambe blessée.

— Ne crains rien, dit-il, tu vas sentir la chaleur, puis tu crieras peut-être comme l'enfant qui vient à la vie et tu seras soulagé. Demain, si Allah le veut, tu seras fort.

Il posa la vessie après avoir soigneusement refait la ligature, puis, timidement, il demanda à Barton de rester près de lui.

— Il se débattra, Sir, avant de trouver le calme et il faut l'empêcher de blesser sa jambe qui entrera en folie, car les esprits vont refuser de la quitter.

— Je reste, dit Barton.

— Mokrane, nous réglerons tout cela demain, dit Brand. Evans, vous étiez responsable du chameau, Mokrane vient de commettre un crime contre nous tous. Il n'avait qu'à faire pisser la bête.

— Sir . . .

— Je sais, si Leith est sauvé, évidemment . . . Mais je n'entends pas qu'on sacrifie la colonne pour un homme, quel qu'il soit, sans mon ordre . . . Et c'est ce qui vient d'être fait. Il en répondra . . . Comme vous de vos chameaux . . . Compris ?

Evans ne répondit pas.

— Compris ? insista Brand.

— Oui, Sir.

Dès le lever du jour, Brand appela Evans et Barton. Celui-ci arriva l'air heureux, malgré la fatigue.

— Leith va nettement mieux, Sir.

— Bon, est-il en état de marcher ?

— Ce sera difficile, Sir.

— C'est ennuyeux. Nous ne pouvons pas rester ici, il nous faut absolument atteindre le puits. Alors ?

Les deux hommes restèrent silencieux. Brand voulait les contraindre à donner un avis justifiant la décision qu'il avait déjà prise.

— Il faut le porter, Sir.

— Qui le portera ? Les hommes ne sont pas en état de donner cet effort supplémentaire.

— Je l'aiderai, dit Evans, Mokrane aussi.

— Moi aussi, ajouta Barton, et peut-être d'autres, nous verrons . . .

— Bien, dit Brand à contre-cœur, mais en aucun cas notre marche ne doit être retardée ; il faut arriver au plus tard demain au point d'eau.

Ils allaient se séparer quand le capitaine les rappela, furieux :

— Et les documents, vous n'y pensez pas ? Vous les répartirez entre les hommes et les prisonniers, par paquets. Je vais leur parler.

Quand ils furent assemblés, hâves, fiévreux et sales, Brand attendit un moment avant de leur adresser la parole. « Ce ne sont plus des soldats, mais une bande de voyous sans dignité. » Il ne s'arrêta pas à cette pensée, qui le mettait en rage, et il s'apprêta à leur faire payer son dégoût.

— Puisque l'un de vous a, sans mon ordre, abattu le chameau et sans que vous interveniez, ni les uns ni les autres, car il y en a bien quelques-uns qui ont été au courant . . .

Il fit une pause comme s'il attendait une réponse qui ne vint pas.

— Eh bien, la charge sera répartie entre vous tous. Le sergent Evans fera la distribution des colis. Et vous en serez responsables. Au cas où vous éprouveriez le besoin de les abandonner, je vous préviens que vous serez, à l'arrivée, traduits en Conseil de guerre. Vous pouvez disposer.

Il les salua comme s'il était au rapport et tournait les talons quand il entendit les chocs métalliques des armes qu'on jetait ; il leur fit face :

— Qu'est-ce que cela signifie ? dit-il. Reprenez vos armes. Barton, inscrivez les noms de ceux qui les ont jetées.

— Cap, vous charriez un peu, dit Wilkins. On ne peut déjà pas se traîner. Quand on sera tous crevés, vous pourrez la trimbaler tout seul, votre paperasse . . .

Il avait parlé d'un trait, ses yeux brillaient de rage.

— Wilkins, taisez-vous ! . . .

— Non, Cap, je la bouclerai pas. Il avançait menaçant et cauteleux. On ne me fera pas taire, Cap, prenez garde.

Evans s'approcha de Wilkins pour le calmer.

— Wilkins . . .

— Ta gueule, vieille mule.

— Qu'est-ce que vous attendez, Barton, pour lui placer votre droite ?

Wilkins se tourna de côté, il dévisageait Leith qui avait parlé. Il était assis, le torse appuyé sur les bras, et il se levait. Les hommes le regardèrent, étonnés. Dans le silence, un courant de sympathie s'établit entre eux et le blessé. Il avança lentement vers Brand.

— Vous ne pouvez pas, dans l'état où ils sont, leur imposer une charge supplémentaire.

— Vous oubliez, Leith, que vous n'avez plus de commandement ?

— Ne me contraignez pas à le reprendre de force, Brand !

Puis, se redressant et s'adressant aux hommes :

— Les documents seront immédiatement brûlés. J'en répondrai si j'arrive à Ismaïlia. Barton, exécution...

Barton ne bougea pas, il interrogeait des yeux Brand et Leith successivement.

— C'est bon, je vais le faire. Vous avez raison, Barton. Moi, je peux désobéir maintenant. Vous, pas encore.

Il avança en traînant la jambe vers les ballots, près du cadavre du chameau.

— Je peux vous abattre, Leith, cria Brand, d'une voix hachée par la fureur.

— Non, « Cap », dit Wilkins tranquillement.

— Nous verrons à Ismaïlia si vous serez aussi forts, dit Brand, puisque c'est ainsi... Je vous remercie, Barton.

Barton reçut le compliment comme une gifle. Il eût voulu répondre, mais il ne réussit pas à trouver ses mots.

Les hommes s'étaient restaurés de la chair du chameau, ils avaient repris des forces, néanmoins quelques-uns d'entre eux marchaient comme des hallucinés. Il y avait à peine quelques minutes que la colonne avait repris la route quand l'un d'eux se mit à courir en hurlant, s'enfuyant vers le sud en poussant des cris de joie, agitant les bras. Il était fou. Brand le suivit du regard, les autres s'arrêtèrent. Puis, à bout de souffle, l'homme s'abattit sur le sol et demeura immobile.

— Barney, allez voir, nous vous attendons.

L'infirmier partit lentement ; après un moment, Brand cria, malgré la distance :

— Pressez-vous, Barney.

La voix ne porta pas, comme absorbée par la chaleur, et Barney sembla ne pas entendre.

Ils le virent se pencher sur le corps étendu, le retourner, le fouiller, puis il revint vers la colonne.

— Voilà, dit-il en tendant à Brand la plaque d'identité et un porte-cartes.

— Et ses armes ?

Barney ne répondit pas.

— Allez les chercher.

— Non, Sir.

Le refus était ferme. Barney s'assit sur le sol pour reprendre son souffle et Brand n'insista pas.

Leith marchait, soutenu par Evans et Barton. Il semblait aller mieux, mais son teint devenait jaune, lui donnant un visage de mort. Il n'avait pas desserré les dents depuis le départ. Mokrane lui avait donné à boire l'eau amère de la panse du chameau. L'Arabe marchait derrière eux de son pas élastique, les genoux légèrement fléchis, sans effort. Brand, à côté de lui, le surveillait.

Mokrane était étonné que celui-ci ne lui eût rien dit au réveil et il ne le quittait pas des yeux. Il lui ferait payer son silence, le moment venu, et se tenait sur la défensive. L'idée de venger Leith faisait son chemin.

Brand de temps à autre l'observait à la dérobée. Il regrettait de l'avoir laissé vivant. N'était-il pas en droit de l'abattre pour ce qu'il avait fait ? Jamais l'occasion ne se retrouverait maintenant, il devrait le faire traduire devant un tribunal, et alors, que dirait-il ? « Tu l'avais vu. » Donc il savait qu'il n'avait pas alerté Leith. Mais pourquoi s'était-il tu, lui aussi ? Brand ne comprenait plus les raisons de ce silence et il n'osait pas l'interroger.

Chaque pierre sur le reg nécessitait un écart, un faux pas, une fatigue supplémentaire, et l'allure s'était ralentie. La monotonie de cet espace sans fin achevait de démoraliser les hommes.

Ils durent s'arrêter au plus fort de la chaleur, et s'abattirent comme des quilles quand Brand commanda la halte. Ils n'avaient rien pour s'abriter et subissaient la brûlure de cet univers en fusion qui desséchait lentement leurs tissus, vrillait une douleur intolérable dans leur cerveau et leurs yeux mal protégés. Ils n'étaient soutenus que par l'espoir de trouver de l'eau, le lendemain, en abondance, pour les sauver, retremper leurs forces. Le sol dur lui-même les brûlait.

Brand se demanda s'ils se relèveraient tous et chercha des yeux les prisonniers. Ils étaient confondus avec les autres. Il n'y avait plus que des hommes, que rien ne séparait. Il ne commandait qu'une horde mais ne s'en inquiétait pas, soucieux d'économiser ses forces. Il appela Barney.

— Distribuez de la quinine et gardez le sac.

— Je doute qu'ils l'avalent.

— Tant pis pour eux.

Quand l'infirmier se fut éloigné, il examina s'il ne pouvait abandonner une partie de ce qu'il portait encore, mais il ne put se résigner à jeter ses chargeurs, comme il en avait envie. Il fit signe à Mokrane de s'approcher.

— Donne-moi une gorgée de la panse, dit-il.

L'Arabe la lui tendit sans un mot et le vit boire gloutonnement en grimaçant. A la troisième gorgée, d'une main ferme, il la lui arracha sans qu'il protestât.

— Pourquoi as-tu dit que j'avais tué Leith ? Tu sais ce que je pourrais te faire pour cela ? . . .

— Tu as vu le scorpion, je te regardais.

— Toi aussi, tu l'as donc vu.

— Non, j'étais derrière le puits, mais toi tu le suivais des yeux jusqu'à ce qu'il frappe ! . . .

— Tu mens.

— Allah te jugera.

— Toi, ce sera le Conseil de guerre.

Ils se défièrent un instant, puis le capitaine Brand baissa les yeux, comprenant que l'Arabe n'avait pas peur de lui. Il se demanda s'il avait parlé à Leith et prit la décision de ne pas le quitter pour l'empêcher de le faire.

Leith geignait doucement, la douleur montait lentement et il tendait toutes ses forces contre la coulée de feu qui le gagnait tout entier. Brûlé par le soleil, son être sombrait peu à peu dans l'inconscience malgré sa volonté. Il ne coordonnait plus ses gestes : sa jambe s'agitait dans un mouvement régulier de convulsion contre lequel il était impuissant.

Les heures passaient et Brand ne bougeait pas. Il eût voulu se lever, son esprit tournait en rond, répétant inlassablement : « Il faut atteindre le puits demain ! . . . Atteindre le puits. » Mais la torpeur qui le tenait cloué au sol était plus forte que son désir.

Tous étaient déjà soumis à cet engourdissement, prélude à la résignation, entrés dans cet état étonnant où tout acte perd son sens, où la mort s'installe, à travers la fatigue, dans la paix des corps immobiles et brisés par l'effort. Leur sommeil haletant était seulement troublé de temps à autre par un cri qui n'était que le signe d'une ultime révolte. L'eau ruisselait, fraîche, sur le corps musclé de Barton, épousant les formes dans un glissement fluide, sans cesse renouvelé. Et la bière coulait d'une chope inépuisable de la commissure des lèvres sur la poitrine de Wilkins.

— Je ne veux pas, dit Brand à haute voix, comme dans une plainte.

Mokrane tourna la tête vers lui lentement :

— Sir, il faut partir, sinon ils ne se relèveront pas.

Il obéit péniblement à l'Arabe, qui alla secouer les autres.

Brand s'approcha de Leith et répéta comme un automate :

— Il faut partir, sinon ils ne se relèveront pas.

Puis, avec Barton, il l'aida à se mettre debout ; celui-ci disait, comme halluciné :

— C'était trop merveilleux.

Les deux autres le regardèrent sans comprendre.

Mokrane, à l'écart, attendait comme s'il eût été le chef, prêt à prendre la tête de la colonne. Quand il se mit en marche, d'instinct les hommes le suivirent. Au bout d'une heure, la colonne s'étirait sur un kilomètre ; en queue, Brand et Barton continuaient à soutenir Leith en silence, comme si rien ne s'était passé entre eux. Ils avaient l'air d'emmener un ivrogne. Evans voulut relayer le capitaine qui refusa en lui disant de prendre la place de Barton.

Evans était, avec l'Arabe, celui qui avait le mieux résisté à la soif et à la fatigue.

— Il faut que nous arrivions au puits et il sera sauvé, Sir. C'est la réaction maintenant, après il aura faim, une faim terrible. J'espère qu'il n'y aura pas de complications.

Leith releva la tête comme s'il allait parler, puis il eut un geste de renoncement.

— Evans, tous nos malentendus passés n'ont plus de sens, dit Brand.

Comme le sergent ne réagissait pas, il ajouta :

— Il faut nous aider les uns les autres.

— Oui, dit Evans, sans chameau, on est vraiment tous sur le même bateau.

Brand y vit une intention et se renfrogna.

10

En se rendant à son bureau ce matin-là, le G. P. était de bonne humeur. Il venait d'avoir une entrevue avec le nouveau chef d'état-major et ses inquiétudes, quant à sa situation personnelle, étaient dissipées.

Il se sentait plein d'indulgence envers Callander, il allait écrire immédiatement à Mary.

— Mon cher Paterson, je suis heureux de vous retrouver ici. Je n'oublie pas les services éminents que vous avez rendus à Aldershot en 39-40.

Il n'était pas fâché de citer à Mary cette référence sur le rôle essentiel qu'il avait joué, dans la confusion du moment. Elle ne l'avait jamais tout à fait cru. « Enfin, vous avez rembarqué ; je ne vois pas, Christopher, qu'il y ait lieu de tant se vanter ! Dites plutôt que ces nazis vous ont effrayé. Mon père, en pareil cas, dans la guerre des Boers . . . » La conversation tournait toujours court à ce moment-là ; le père de Mary, telle la statue du Commandeur, semblait entrer dans le grand salon victorien et Christopher fuyait vers son club pour lui échapper. Mary avait le don de lui enlever férocement ses succès, ou ses illusions. A bien y réfléchir, Aldershot ... Evidemment, ce n'était pas tout à fait sa faute s'il avait réussi : le hasard l'avait servi.

Dès qu'il entra dans le baraquement, sa joie tomba ; il se souvint de ce qu'il avait voulu oublier : la fin de la conversation ...

— Dites-moi, Paterson, cette opération sur Benghazi a été préparée un peu rapidement ; l'Air-Command n'est pas très satisfait. Les missions de reconnaissance qui lui ont été demandées viennent en surcharge de ses prévisions. Enfin, nous verrons cela plus tard.

Le compagnon de 1940 avait immédiatement fait place au chef d'état-major et repris ses distances.

Tout cela par la faute de Callander qui avait réussi à le convaincre. Il fut pris d'un soupçon : le major ne lui avait pas dit tout ce qu'il savait, c'était intolérable. A bien y réfléchir, ces reconnaissances aériennes étaient sans aucun sens si Callander n'avait pas d'autres raisons que celles qu'il lui avait données. Il était décidé à le mettre au pied du mur et n'entendait pas avoir des difficultés avec l'état-major.

Dès qu'il entra dans le bureau, il attaqua, en composant son visage, comme toujours quand il avait à dire des choses désagréables.

— Où en sommes-nous, Callander, au sujet des reconnaissances aériennes ?

Callander leva un visage étonné sur le G. P. Il réalisa aussitôt qu'il allait subir une scène.

— Le premier couloir a été reconnu sans résultat, Sir. Les Lightings n'ont rien découvert qui ressemble au commando du capitaine Brand. Le second couloir prévu est en cours d'exploration. J'ai demandé qu'on suive la piste chamelière qui conduit à Siouah et de pousser au delà de l'oasis en direction nord-ouest jusqu'à Kser-ed-Deffa, si possible. J'ai également alerté le L. R. R. G. * ; leurs patrouilles automobiles nous communiqueront par radio leurs renseignements.

— Vous auriez mieux fait de ne rien demander du tout. A l'état-major, on est mécontent de cette affaire, et je partage leur avis. Cette décision a été prise, me semble-t-il, un peu à la légère. Vous avez été trop impulsif. Quelles étaient vos raisons profondes ?

— L'avenir des hommes soumis à un chef dont on peut douter et à un lieutenant dont la présence risque de semer la discorde dans le commandement, et ce n'est pas tout...

— Que me chantez-vous là ? Callander, vous avez trop d'imagination, si ce sont là vos raisons, j'annule ces reconnaissances aériennes immédiatement.

Callander comprit que Paterson ne lui livrait pas les vraies raisons de ce changement d'atti-

* *Long Range Desert Group.*

tude. Il étalait une mauvaise foi qui le mit en colère dès que le G. P. enchaîna :

— D'ailleurs, les chances sont par trop minimes. Ils doivent marcher la nuit ; le jour, ils se protègent des vues aériennes.

— Sir, vous savez aussi bien que moi qu'on marche la nuit au début ; après, je suis très sceptique ; cela devient trop dur, la distance mise entre l'ennemi augmente le sentiment de sécurité. On préfère alors la lumière pour progresser plus rapidement. Souvenez-vous de votre évasion des mains des bandes afghanes, Sir ! Vous me l'avez rappelée après avoir donné vos instructions au capitaine Brand. Vous ne vous faisiez guère d'illusions.

C'était un souvenir qui causait toujours grand plaisir au général. Probablement constituait-il l'épisode le plus héroïque de sa carrière, à l'aube de celle-ci.

— En effet, après trois nuits, nous n'avons pas pu résister à la tentation. J'ai eu beau menacer, rien n'y a fait. Je dois vous dire que j'en avais moi-même assez. Mais le relief était différent et surtout, dans ce temps-là, il n'y avait pas d'avions pour nous inquiéter. Et j'ai ramené tout mon monde, Callander . . .

Le major n'écoutait déjà plus le bavardage du général, il était devenu plus grave.

— Oui, Callander, vous pouvez me croire, l'homme ne supporte pas les ténèbres. Et vous savez pourquoi ? Je vais vous le dire, cela vient de très loin . . .

— Je sais, trancha Callander.

Interloqué, le G. P. se reprit.

— Je téléphone à l'Air Command.

— Oui, Sir.

— Alors, vous êtes d'accord avec moi maintenant ! Savez-vous ce que vous voulez ?

— Parfaitement, Sir, modifier les parcours de reconnaissance.

— Vous vous foutez de moi ?

— Sir, j'ai en main une information émanant des Français de la frontière du Tchad. C'est un message radio, qui a été transmis au « Camel Transport » il y a vingt-quatre heures.

— Et alors ?

— Quarante-quatre chameaux portant la marque du « Camel Transport » ont été trouvés entre les mains d'un rezzou qui cherchait à gagner le Niger. Ils avaient essayé de maquiller la marque sans y parvenir tout à fait. Vous comprenez maintenant, Sir, que le commando Brand n'est pas là où nous le cherchons, et qu'il faut alerter l'Air Command ?

— Mais alors, ils ont été tués !

— Il manque une bête, c'est peu ; dans un combat, il y aurait eu plus de dégâts ! . . . Enfin, je ne sais pas, Sir. De toute façon, il faut chercher plus loin. Si l'on examine les dates, les chameaux n'ont pu être volés que bien avant l'arrivée de Brand au rendez-vous d'Evans. Brand est à pied sur un itinéraire mortel. Il n'y a pas une chance sur mille qu'il réussisse, Sir, si nous ne le retrouvons pas rapidement. Et si, par hasard, l'absence de chameaux l'a conduit à prendre un itinéraire plus au nord et plus facile, alors il n'échappera pas à la capture. Voilà le problème tel qu'il se pose.

Paterson était furieux contre Brand.

— Vous croyez que ce sera facile ! Vous n'avez pas entendu ce qui m'a été dit à l'état-major . . . Attendons, Callander.

— Non, Sir, les vols actuels ne servent à rien.

— Peut-être pourrions-nous simplement demander au L. R. D. G. Ce sont les seuls capables de récupérer le commando Brand. Ce serait plus simple.

— Ils sont actuellement dispersés, Sir. Leurs missions sont précises, leurs voitures et leur carburant mesurés pour celles-ci. Ils ne peuvent se dérouter si facilement. Les uns sont à Oueïnat, les autres vers Aïn-el-Jioulat sur la piste de Koufra à Benghazi, et d'autres plus à l'ouest encore. Ceux du nord ont des missions de harcèlement. Nous ne pouvons que les alerter.

— D'abord, pourquoi, Callander, a-t-on repoussé l'emploi de leurs véhicules pour cette opération ?

— La distance, les délais, la facilité de repérage dans la zone de Benghazi. Je m'excuse de vous rappeler, Sir, que l'approche de Benghazi posait des problèmes que le L. R. D. G. pouvait difficilement résoudre.

— Mais enfin, ils ont bien été à Barce.

— Dois-je vous dire, Sir, que vous vous êtes rendu à ce sujet aux arguments du capitaine Brand . . . et de quelques autres techniciens ?

— Brand, toujours Brand . . .

Il y eut un long silence entre les deux hommes. Paterson tapotait sur le devant de sa chemise les boutons dorés absents. Il songeait à la tempête qu'il allait soulever s'il demandait une nouvelle rectification à l'Air Command.

— Alors, Sir, vous prenez la décision d'abandonner les hommes de l' « Operation Footing » ? Ce sera une belle réussite.

— Je n'ai pas dit cela, aboya Paterson.

— Les minutes comptent, Sir, quand on crève de soif.

— Callander, je n'aime pas ce ton.

— Sir, dans ce cas, je dois vous prévenir que je vais moi-même exposer la question au chef d'état-major. Ensuite, je prendrai les arrêts.

— Qui parle d'arrêts ? Calmez-vous et laissez-moi réfléchir.

Une sorte de soulagement détendit les traits du G. P. Il lissa ses sourcils. « Pourquoi Callander n'irait-il pas exposer l'affaire à l'Air Command ? Il était responsable de l' « Operation Footing » dans son service. »

— Ecoutez-moi, vous allez vous rendre auprès des aviateurs. Vous y exposerez le nouvel aspect de cette affaire. J'interviendrai moi-même ultérieurement si vous n'obtenez pas satisfaction.

Callander regarda Paterson, sans pouvoir dissimuler complètement ce qu'il pensait.

— Bien, Sir, soyez sans crainte. Je ne vous compromettrai pas. Par ailleurs, je vous serais très obligé de bien vouloir dès maintenant envisager ma mutation dans une unité combattante.

Paterson se leva d'un bond, écarlate, en tapant sur son bureau.

— Qu'est-ce que cela signifie ? Vous ferez votre demande dans les formes et je vous apprendrai à respecter vos chefs, Callander. Vous êtes un peu jeune pour donner des leçons. Demandez votre mutation, vous allez voir . . . Vous allez voir.

Il s'écroula sur son siège plus qu'il ne s'assit, étouffé par son indignation. Il souffla plusieurs fois pour reprendre sa respiration.

Callander rangeait son bureau en silence. Il ajusta sa chemise et se dirigea vers la porte.

— Je déchirerai votre mutation, et je vous collerai aux arrêts pour votre insolence. Vous voulez me quitter . . . Ma compagnie ne vous plaît pas . . . Eh bien, je vous briserai, vous ne serez pas le premier, croyez-moi ! . . .

— Il ne s'agit pas de vous, Sir, mais de moi. Je considère que j'ai commis un certain nombre d'erreurs et manqué d'énergie pour m'opposer à quelques autres.

Le brigadier général G. W. C. Paterson D. S. O., sa flambée de colère éteinte, avait repris son calme. Il se leva et vint près du major ; il voulut parler, son visage trahissait une émotion qu'il ne parvenait pas complètement à dominer. Brusquement, il se retourna, prit son stick et sa casquette et dit :

— Allons à l'Air Command, Callander, je vous accompagne.

Le major eut un sourire ; il s'effaça pour laisser passer Paterson qui semblait soudain rajeuni en partant livrer sa bataille, la dernière peut-être, contre le Q. G. Quand il passa devant Callander, celui-ci dit :

— Sir, quoi qu'il advienne, c'était malgré tout une grande opération.

La gorge sèche, le général lissa ses sourcils, comme s'il se frottait les yeux.

II

Ils semblaient être taillés dans la pierre, immobiles, assis ou couchés, ils ne bougeaient pas depuis des heures ; le froid nocturne les surprit dans leur attitude. De tous, seul le visage de Mokrane semblait vivre encore. Depuis des heures, il n'avait cessé de fixer Brand. Toute sa force concentrée dans ce regard, on eût dit qu'il attendait que la violence le jetât enfin en avant. Il lui résistait encore, à moins qu'il ne l'appelât, ramassant en lui la force qui ne faiblirait pas. Il la sentait s'agiter, monter, comme la délivrance de la femme, exaltante. Il mesurait déjà sa jouissance, et le corps étendu de Brand perdait lentement toute signification humaine. Le capitaine s'abolissait, disparaissait, pour n'être plus que l'ennemi, plus simplement encore, la bête qui lui avait ravi une chose indéfinissable, qui était comme le paradis dans son cœur. Et il allait la lui reprendre, rétablir son ordre, celui du Désert, de toute éternité, des hommes des grandes tentes, qui respectent l'eau et ne la jettent pas au visage, qui ne s'agitent ni ne crient dans la difficulté, dont les chants de victoire et d'amour sont nobles et tristes car ils savent le prix de la joie, qui ne laissent pas à d'autres le soin d'abattre leur ennemi, et qui savent que seul a le droit de commander celui de qui Allah le Grand, le Miséricordieux, a fait un guerrier valeureux.

Brand n'était plus qu'une bête allongée, dont la patte un jour avait voulu le frapper, lui Mokrane, dont la tribu était respectée du Levant au Couchant du Désert. Il se méprisait de n'avoir pas tué dès l'instant où cette main avait voulu le toucher. Si on le savait, on ne lui confierait pas même la garde des chèvres. Il suivrait à pied la méharée, comme un esclave. Les Aoulad Souleïman ne le lui pardonneraient pas et le vieil Abd-el-Galia, le Cheïk du Désert aux doigts brisés, le marquerait au visage de ses griffes redoutables. Pourquoi Leith ne l'avait-il pas méprisé pour cela ? Il lui en voulait, c'était une petite douleur qu'il n'arrivait pas à guérir et pourtant il était son frère, il l'avait reconnu. Lui, savait que la mort n'est rien, que la donner, quand il est bon qu'il en soit ainsi, est juste. Et Brand devait mourir pour avoir laissé lâchement au scorpion le soin de tuer son ennemi.

Mokrane, lentement, entrait dans l'univers démentiel de la fureur. Il n'était plus qu'une haine se nourrissant d'elle-même, qu'il savourerait encore jusqu'au moment où elle jaillirait inexorable. Le désert brûle ainsi les âmes, comme ses danses amènent les corps haletants au paroxysme furieux de la possession.

Brand ne dormait pas ; il épiait tous les bruits de la nuit, rompu, sans force, bête prise à son propre piège, animal enragé maudissant Leith de n'être pas mort plus vite et le Bédouin de l'avoir peut-être sauvé, volant sa dernière chance, son dernier chameau à lui « le héros de Benghazi ». Il avait dépassé maintenant sa peur, l'exaltation de la vengeance le submergeait. Personne n'avait plus le droit de vivre. Et pourtant Jane vivrait, profiterait de son nom, de sa gloire. Cette injustice le révoltait. Elle avait tout possédé : une jeunesse heureuse, facile ; grâce à lui, sa vie n'avait été que découvertes, fêtes, voyages. Elle avait été servie comme une reine, aux Indes, en Egypte, et sa mort serait une nouvelle source d'honneurs pour elle qui l'avait trahi. Non, le capitaine Brand ne pouvait pas avoir donné sa vie pour une putain ! Il n'avait pas tremblé devant les autres, supporté toutes les angoisses, contenu tous ses désirs, pour perdre tout dans une agonie infernale, car ceux qui verraient se lever le soleil, s'ils n'avaient plus d'eau, ne le verraient pas se coucher. Il tâta sa guerba, elle était presque plate. Et le puits était si près. Le courage lui manquait pour exécuter le plan qui germait lentement. Il se heurterait jusqu'à la fin à sa peur, à l'impuissance de frapper . . . Et le silence était nécessaire . . . Il eut envie un instant de chercher Wilkins, Wilkins qui savait déjà trop de choses. Une de plus, était-ce plus important que sa vie ? . . .

L'éclair de feu brûla la poitrine de Mokrane au moment où son bras s'abattait de tout le poids de son corps, et le coup dévia. Il se releva sur les genoux pour tenter de frapper encore et Brand eut peur de ce visage inhumain au-dessus de lui. Il poussa un hurlement en se dégageant et, comme un fou, tira au jugé le reste de son chargeur. Il tremblait, attendant que les hommes vinssent à son secours, personne ne semblait bouger. Mokrane se releva encore, son poignard horizontal pointé, au bout de son bras ballant, vers le ventre de Brand, comme son capitaine le lui avait appris à l'instruction. Brand reculait en se tortillant sur les fesses et les bras, s'arc-boutant sur les talons pour s'échapper, animal apeuré, n'osant pas quitter du regard Mokrane qui avançait lentement, fléchissant peu à peu sur les genoux. L'Arabe s'écroula, griffant les pierres, pour se traîner encore et frapper, comme les fous à l'entrée du gardien dans leur cellule.

Evans s'était approché. Il n'eut pas un mot pour le capitaine qui se relevait.

— Il a voulu m'assassiner.

Immobile, l'Arabe fixait Brand, dans l'impuissance pathétique de sa haine trahie par ses forces.

— Achevez-le, Evans.

Mokrane leva les yeux vers Evans qui ne répondit pas.

— Pourquoi as-tu voulu tuer le capitaine ?

— Allah le sait. Je veux parler au lieutenant Leith.

— Que lui veux-tu ? dit Brand.

— Tu es plus lâche que la hyène et tu le sais.

Brand envoya un coup de pied dans le corps de Mokrane.

— Tu vois, dit l'Arabe.

Le capitaine se précipita vers son sac pour y prendre un chargeur. Evans essaya de soulever Mokrane, mais ses forces le trahirent. Alors, il s'assit près de lui ; les yeux sombres et doux le fixaient.

— Je veux voir le lieutenant.

— Il ne peut plus marcher, Mokrane.

— Porte-moi.

— Pourquoi as-tu voulu tuer le capitaine ?

— Je ne veux pas mourir de sa main ! Je veux . . . le lieutenant.

— Réponds à ma question.

La résignation entra alors en l'Arabe. A l'imploration et la détresse succéda un grand calme. Il s'appliqua à parler doucement ; la main encore crispée sur le poignard se détendit, puis il saisit le sachet de cuir de ses amulettes, qui pendait sur sa poitrine.

— Alors, achève-moi, sergent. Tu es un guerrier . . . Et n'attends pas le jour pour partir ; le puits est très proche, je le sais, mais le soleil te tuera avant d'y arriver. Tu diras au lieutenant . . .

Le capitaine était près d'eux. Mokrane tourna la tête vers lui et cria :

— Tu l'avais vu et tu n'as rien dit.

La balle l'atteignit en plein front.

C'était son premier mort. Il fut étonné de la facilité de son acte, fasciné par cette puissance qu'il venait de libérer de lui-même. Un sourire l'effleura et il se trouva délivré de sa peur des hommes. Mokrane était mort de sa main. Il contempla son arme. Evans l'observait.

— Qu'est-ce que vous attendez ?

— Rien, Sir.

— J'ai eu tort peut-être ?

— Non, Sir, mais c'est dommage . . .

Le sergent eût voulu dire autre chose, mais il n'arrivait pas à formuler sa pensée. L'air de triomphe de Brand le surprenait.

— Evans, que vous a-t-il dit ?

Le ton était insinuant et menaçant. Une lueur de folie et de ruse dans les yeux, il observait le sergent qui ne répondit pas.

— Evans . . . , répéta-t-il en sifflant, contre lui, à le toucher.

— Il a dit que le puits était très proche, Sir, et qu'il fallait essayer de l'atteindre avant le plein soleil.

— Ce n'est pas vrai. Vous êtes son complice. Vous l'avez aidé à tuer le chameau. — Il parlait d'une voix douce. — Le sergent Evans, qui a perdu quarante-cinq chameaux, voudrait bien voir son capitaine mort. Mais le capitaine veillait, il savait. — Brusquement, il devint plus menaçant. Dans sa main crispée, le revolver visait le ventre du sergent.

— Qu'a dit Mokrane ?

Evans sentit que s'il ne calmait pas Brand, il risquait d'être abattu, mais il ne savait pas quoi lui dire. Il était pris de panique et ne parvenait pas à trouver les mots qu'il aurait fallu. On n'avait jamais prévu que le capitaine d'un commando devienne fou. Il aurait dû s'en douter à Ismaïlia, le jour où lui, Evans, était arrivé en retard au rassemblement sur le terrain de tir. Brand l'avait regardé et, sans dire un mot, devant tous les hommes, il avait posément pris son portefeuille et donné un billet d'une livre à Evans. Le sergent était resté pétrifié et ce n'est que lorsque Brand avait dit : « Pour vous acheter un réveille-matin », que le sergent avait compris. Les hommes avaient ri et Brand, satisfait de l'avoir humilié, s'était tourné vers eux et, pour les punir, leur avait fait faire une heure de pelote, en rentrant le soir.

— Sir, je n'ai rien fait, dit-il. C'est tout ce qu'il avait trouvé.

« Moi je me sens vivre quand je cogne fort. » Il se résumait ainsi lui-même, un jour où le vieux mineur, son père, lui avait demandé quel plaisir il pouvait y avoir à être un soldat, une espèce de mécanique absurde qui n'avait plus le droit de dire « non », ou de se mettre en grève. Mais là, il ne pouvait pas « cogner ». Il était bien celui qui ne pouvait plus dire « non ». Si Mokrane n'avait pas prononcé cette phrase qui lui trottait dans la tête et dont le sens lui échappait, il aurait été moins gêné. Sur une question de service, on peut encore discuter, et avec Leith à ses côtés, il n'aurait pas peur, mais là, il était seul.

— Vieille mule, tu vas parler ?

— Il insistait pour que je le porte près du lieutenant, puis après il m'a demandé que je l'achève.

— Tiens, et pourquoi ne l'avez-vous pas fait ?

— Parce que... Parce que vous êtes arrivé.

— Il a voulu me tuer. Ai-je eu tort ?

— C'était juste, Sir.

— Et pourquoi désirait-il que ce soit vous qui l'acheviez, hein ?

— Je connais ceux de sa race. Il ne voulait pas que ce fût vous.

Il s'arrêta, affolé de ce qu'il avait failli dire.

— Et pourquoi ?

— Je ne sais pas, Sir.

Le canon de l'arme s'enfonça dans le ventre d'Evans.

— Je crois, Sir, qu'il ne voulait pas vous donner la victoire, qu'il préférait mourir de la main de Leith. C'était un guerrier orgueilleux, Sir.

— Eh bien, je l'ai eu, Evans... Je l'attendais... Et j'en attends d'autres... N'est-ce pas, Evans, que j'en attends d'autres ?

— Je ne sais pas, Sir.

— Je les aurai tous... Les uns après les autres... Des lâches, un commando de femelles qui m'en veulent parce que je suis plus fort qu'eux et que les Allemands. J'ai toujours été le plus fort partout, Evans, et on me détestait.

Il rentra son arme, mais Evans n'osa pas faire un geste.

— Leith mourra, Mokrane est mort. Ce n'est pas fini. Dieu les punit de me haïr. Ils ne le savent pas. — Il parlait maintenant à voix basse, comme s'il faisait des confidences. — Il n'y a que Dieu qui m'aime, je vais le remercier.

Le silence autour d'eux les frappa tout à coup. Ils regardèrent, discernant mal les taches des corps immobiles sur le sable.

— Evans, secouez-moi tout ça, nous partons. — Puis il se ravisa : Non, dit-il, je sais pourquoi ils n'ont pas bougé. Ils étaient tous d'accord, ils seraient venus me cracher au visage si j'avais été abattu... comme à Jésus... Maintenant ils ont peur du châtiment, ils font les morts. Allez leur dire que je leur pardonne, Evans. « Ils ne savent pas ce qu'ils font. » A moi qui, seul, peut les sauver... Allez, Evans, et portez-leur le message du capitaine Brand. Je vais prier pour cet hérétique.

— Oui, Sir.

Brand s'agenouilla, les yeux fixes, puis lentement il sembla qu'il revenait à lui. Il retourna le corps de Mokrane.

— Merci, Seigneur, dit-il.

Il enleva la peau de chèvre de Mokrane ; elle

était presque pleine du reste de liquide de la panse du chameau. Il but à longues gorgées ce breuvage amer puis se releva, un sourire de triomphe illuminait son visage. Il se dirigea vers l'endroit où reposait Leith ; celui-ci avait les yeux grands ouverts. Il s'apprêtait à lui parler quand un cri d'Evans attira son attention.

— Sir !

Quelques hommes se levaient péniblement, fantomatiquement. Brand les rejoignit.

— Qu'y a-t-il ?

Evans retournait des corps.

— Ils ont été poignardés, dit-il à mi-voix.

Les prisonniers avaient été exécutés dans la nuit.

— Taisez-vous, Evans.

Brand les regarda. Leurs bidons d'eau étaient tous vides.

— C'est le Bédouin qui les a tués, dit-il après un moment. Il allait ajouter : « sa peau de chèvre était pleine », mais il se retint.

— Mais où est Barton ?

— Sir, il faut attendre le jour.

Maintenant la terreur régnait sur les hommes. Ils n'osaient même plus parler ; ils chuchotaient et se turent quand Barney s'approcha, bientôt suivi de Wilkins et des autres.

— Barney, cherchez Barton.

L'infirmier parcourut le campement à pas lents, dans tous les sens. Wilkins observait Brand et le sergent.

— On part ou on reste ? dit-il.

— On part, dit Brand.

— Et le lieutenant, Sir ?

La question resta sans réponse. Barney arrivait.

— Le lieutenant Barton n'est pas là.

« C'est la fin », pensa Evans. Il était surpris par le comportement du capitaine qui lui paraissait à nouveau normal.

— Barton a dû tenter de gagner le puits, dit-il. Ils s'approchèrent de Leith.

— Vous partez, Brand ?

— Savez-vous où est Barton ?

— Oui, il a voulu atteindre le puits pour me ramener de l'eau. C'est de la folie, il ne pourra jamais revenir. Que s'est-il passé cette nuit ?

Leith parlait d'une voix ferme mais basse. Ni Brand ni Evans ne répondirent. Brand pensa qu'il avait dû s'assoupir au cours de la nuit et il en frémit.

— Les loups sont là, n'est-ce pas ? Ils s'entretuent ? Où est Mokrane ?

— Sir, il a voulu assassiner le capitaine. Il est mort. Il a demandé avant de mourir que je le porte jusqu'à vous.

Leith fut un long moment avant de parler.

— Vous pouvez partir, dit-il.

— Non, Sir, je sais que vous allez mieux. Il faut atteindre ce puits. Nous y referons nos forces.

— Vous avez eu raison, Evans, j'ai faim maintenant, mais il y a quelque chose qui ne va pas.

Le vieux sergent comprit immédiatement et,

se penchant sur la cheville, il renifla le pansement.

— Je ne crois pas, Sir, dit-il.

Pendant toute la conversation, Brand n'avait pas cessé d'observer Leith, fasciné par son calme, par la force qui brûlait encore dans ses yeux brillants, creusés par le mal.

— Il faut que vous partiez, dit Leith, continuant de s'adresser au sergent. Tâchez de retrouver Barton, c'est un chic garçon.

Evans se tourna vers le capitaine, comme s'il attendait un mot de lui. Avec l'instinct prémonitoire des fiévreux, Leith dit :

— Le capitaine ne dira rien, Evans.

Maintenant, quelques hommes faisaient cercle. Brand n'osait pas donner l'ordre de départ devant les soldats.

— Nous allons vous aider, dit-il. Nous atteindrons un puits aujourd'hui.

— C'est inutile, dit Leith. J'ai la gangrène.

— Barney, le sac ! . . . cria Evans.

Quand ils ouvrirent la pharmacie, ils s'aperçurent que le tube métallique d'alcool était vide. Evans le laissa retomber.

— Vous voyez, Evans, l'opération a réussi ; comme toujours, on ne meurt que des complications.

Brand se tourna alors vers les hommes.

— Barney, prenez le commandement et mettez-vous en route, Evans et moi, nous vous rejoindrons.

Au moment où ils se mettaient en route, Wilkins resta en arrière et s'approcha.

— On ne peut pas vous emmener, Sir. J'ai toujours été plutôt salaud, mais j'avais raison : y a que les salauds qui s'en tirent. Il y avait dans son ton une note d'émotion.

Il portait deux bidons, il en tendit un à Leith.

— Les Allemands sont des gars économes, dit-il. Prenez-le, on ne sait jamais ce qui peut se passer.

— Vous les avez volés, dit Leith.

— Dérouillés, Sir. — Et il se tourna vers Brand avec un sourire ambigu. — Vous protestez pas, Cap ? dit-il. Moi j'ai pas du tout envie de crever de soif pendant que ces salauds-là boivent notre flotte.

Leith ne sut quoi répondre. Wilkins tourna les talons et pressa le pas pour rejoindre les autres.

— Evans, venez, j'ai à vous parler. Et Brand entraîna le sergent à l'écart.

— Nous ne pouvons le laisser ainsi, dit-il. Sa mort va être terrible.

Evans ne répondit pas, il regardait le capitaine, figé.

— Je sais, dit-il . . . Mais je ne crois pas que je vous obéirai, Sir.

— Vous pensez que Leith pourrait vivre si nous l'aidions, le portions . . . Je ne m'en sens pas la force.

— Je l'ignore, mais je sais autre chose et ça

ne me plaît pas ... Mais vous le savez aussi bien que moi.

— Penseriez-vous par hasard que je n'agis pas selon le devoir ?

— S'il en est ainsi, alors faites vous-même ce que vous voulez faire.

— C'est un refus d'obéissance ?

— Je préfère cela à un assassinat.

— Vous m'injuriez, maintenant ... J'aurais le droit de vous abattre vous aussi ... Vous entendez, j'ai le droit de vie et de mort ... moi.

Il s'excitait soudain. Evans tenta de le calmer.

— C'est Wilkins qui a raison. Peut-être, demain, au puits, rencontrerons-nous des chameliers ; nous pourrons alors revenir, tenter de le sauver ...

Mais Brand reprit l'entretien.

— Qu'est-ce que vous prétendez savoir, avez-vous dit tout à l'heure ?

— Que vous haïssez le lieutenant Leith, que vous le souhaitez mort depuis longtemps et que Mokrane a voulu vous tuer pour une raison qui m'échappe mais qui n'était pas gratuite et avait un rapport avec Leith ... C'était ... comme pour le venger.

Une curieuse lueur de triomphe éclairait les yeux de Brand ; il avait la certitude que Mokrane n'avait rien expliqué.

— J'ai patiemment écouté vos élucubrations, Evans. Nous devons avoir pitié de Leith comme il a eu pitié des blessés à l'agonie. Et, par ailleurs, aucun de nous ne doit tomber vivant entre les mains de l'ennemi ; sinon, nous risquons d'être tous perdus. Il peut durer des heures, peut-être, sans bouger, un ou deux jours.

Evans avait l'air d'une bête essoufflée.

Brand ouvrit le col de sa chemise, en retira un sachet imperméable, l'ouvrit et en sortit une feuille.

— Vous savez ce que disent ces instructions ?

— Non.

— Alors je vais vous les réciter.

Au retour, il importera de ne laisser aucune trace derrière le commando, quelles que soient les mesures à prendre. Il importe que vous ne puissiez être rattrapés par l'ennemi. Aucun indice ne devra le guider, révéler votre passage . . .

Il se tut sur la phrase : *Les documents devront parvenir le plus rapidement possible à destination.* Les documents brûlés, rien ne justifiait plus l'application des ordres. Néanmoins, après un silence, il poursuivit :

Toutes les décisions que vous prendrez dans ce but, si délicates ou cruelles qu'elles puissent être, ne seront pas discutées par le commandement. Vous êtes en particulier délivré de toutes obligations de secours aux blessés, dès l'instant où elles entraveraient votre marche. Et toutes mesures, en pareille situation, devront être prises conformément au paragraphe premier. C'est signé : Général Paterson.

— Vous comprenez, Evans, ce que cela veut dire ?

— Cela veut dire, Sir, que vous m'avez donné connaissance des instructions que vous deviez garder pour vous. Car j'ai le même pli fermé : *A n'ouvrir qu'en cas de mort des officiers du commando.* Seul, celui qui commande devait le connaître. Après vous, Leith, après lui, Barton, puis moi . . . Je refuse de faire votre travail puisque c'est le vôtre et ensuite parce que je ne suis pas certain que votre décision soit juste.

Brand se sentit presque ridicule. Le pouvoir dont il était investi se dérobait, devenait illusoire. Il n'y avait plus que sa propre autorité. L'ordre dont il était le détenteur, lui, émanation du Q. G., dont les soldats ne prononçaient le nom qu'avec respect, avait perdu toute force. Il n'avait pas même sur l'épaule ses étoiles pour rappeler à Evans qu'il était le chef. On ne crache ni sur les drapeaux, ni sur les étoiles. Il fut d'un coup vidé de cette force empruntée et qui le soutenait parce qu'Evans avait dit « non ». Un « non » dont Brand ignorait qu'il appartenait à un vieil homme du Pays de Galles, un « non » jaillissant dans la conscience d'Evans, vingt ans après, parce que Brand n'était pas un chef juste.

Le sergent ne bougeait pas. Il n'y avait aucun défi dans son attitude. Evans était devenu un roc d'une élémentaire et loyale humanité, le fils du mineur, sans trouble ni inquiétude devant Brand, hâve, à moitié fou, sale. Evans découvrait que l'uniforme et ses insignes l'avaient trompé, que ses hommes ne lui obéissaient pas à cause d'eux, puisque lui pouvait refuser l'obéissance au capitaine Brand. Ils lui avaient obéi parce qu'il était fort et respectaient la « vieille mule d'Evans » qui savait cogner plus que punir. Il était fier de lui.

Le jour se levait, frange verte aux confins désertiques, lueur désolée, reflet de cadavres pourris qui les fit tous deux paraître irréels comme des fantômes dans le silence qui s'était établi.

Une rage froide couvait au cœur de Brand. « Evans, vous inspecterez le quartier n° 2. » « Evans, faites nettoyer les latrines. » « Evans, faites-moi apporter mon thé. » « Evans, je ne répéterai pas deux fois que je ne veux voir personne traîner dans la cour avant le rapport. » Evans qui le saluait, aux aguets de ses désirs, avait dit « non ». Le sergent qui était comme partie de lui-même à Ismaïlia, son bras ou simplement un doigt de sa main, animé par sa seule volonté, ne prenant vie que par le souffle de Brand, lui, le Verbe animant la matière... Et la matière se dérobait. Il posa une dernière fois sa question :

— Vous refusez ?

— Oui, Sir, vous pourrez me faire arrêter en arrivant... Si nous arrivons !

Brand eut un temps d'hésitation. Evans venait de lui restituer une partie de son pouvoir. Il se redressa, remit en place ses papiers dans l'étui.

— Parfaitement, dit-il. Mais en attendant, je

vous ordonne de garder le secret des instructions que je vous ai révélées. Nous avons suffisamment de mal à tenir les hommes.

Brand, indécis, ne savait que faire, puis il se décida et dit :

— Vous pouvez rejoindre la colonne. Je croyais pouvoir en toutes circonstances compter sur vous. Je ne comprends pas ce qui vous a pris.

— Vous pouvez toujours compter sur moi pour faire mon travail, Sir.

Il se tenait raide et son ton était celui d'une leçon.

— Bien, nous verrons. Vous pouvez disposer.

Evans hésitait, puis s'en alla d'un pas lourd, en songeant qu'une fois déjà, il avait vécu le même drame, vu un copain labourer le sable de ses mains en le suppliant de l'achever. Il n'avait pas pu s'y résoudre et cela avait duré des heures. Ce souvenir, il le savait, était la raison de son mensonge à Leith qui pourrissait déjà. Quand sa lucidité le lâcherait, ce serait épouvantable.

Brand n'osait pas aborder Leith. Ce qui lui restait à faire ne l'effrayait cependant pas. Mais c'était le regard de Leith qui l'arrêtait. Il allait devoir l'affronter, en subir l'éclat méprisant et cela lui était insupportable. C'était pourtant juste d'en finir avec lui. C'était même son droit. Il essayait de s'en persuader sans y réussir.

Ils n'avaient en effet plus rien à sauver

qu'eux-mêmes, plus de documents à faire parvenir coûte que coûte.

Il songea que sa haine était la plus forte. Et ce curieux retournement sur lui-même le plongea dans le doute. Leith ne pouvait plus marcher seul, mais peut-être, s'ils l'avaient soutenu, mené jusqu'au puits... Evans était de cet avis. On pourrait lui reprocher de n'avoir pas tout tenté. Il s'approcha de Leith.

— Vous êtes encore là, Brand ?

— Je viens vous chercher.

— Je croyais que c'était autre chose qui vous amenait.

Il avait son sourire de toujours, comme s'il ne souffrait pas.

— Tout seul, il n'y a aucune chance, Brand. Pourquoi mentez-vous ?

— Croyez-moi, Leith, je voulais vous aider.

— Non, vous avez peur en ce moment, vous voulez mettre le droit avec vous, la pitié de votre côté, mais vous n'avez pas de témoins, Brand, c'est donc inutile.

Brand passa derrière lui pour tenter de le soulever ; Leith gémit.

— Vous êtes fou. Il fallait y penser quand les hommes étaient encore là.

— Vous ne vouliez pas.

— Ecoutez, Brand, ne cherchez pas d'excuses ni pour agir, ni pour ne rien faire. Je ne meurs pas pour que vous alliez plus vite, je meurs parce que vous vous êtes arrangé pour qu'il en soit ainsi. J'ai compris depuis longtemps le sens du cri de Mokrane. J'attendais cette minute pour vous le dire.

Brand se taisait. Il sut qu'il n'était pas pris entre son sens du devoir et son désir de vengeance, que la mort de Leith était vraiment décidée depuis Benghazi et cette révélation de Leith ne le bouleversait pas.

Leith poursuivit :

— Je mourrai pour rien, Brand. Vous allez définitivement perdre une partie que vous avez engagée vous-même, après Benghazi. Ma mort ne vous délivrera pas ; vous voulez me tuer parce que vous avez les viscères tourmentés, mais vous n'êtes pas sûr encore et vous avez peur. Vous n'êtes pas même un mâle qui tue celui qui lui dispute sa femelle. Si encore vous aviez assez de courage pour l'avouer. Si vous étiez le fauve dans son unité charnelle, dépouillé de toute raison, je vous admirerais. Brand, vous êtes un petit bourgeois qui tue au moindre risque, avec une passion de bazar à laquelle il faut des paravents protecteurs, de bonnes raisons de droit pour se libérer... Vous n'êtes rien, Brand, qu'un uniforme vide, bien empesé par l'Intendance afin qu'il tienne debout tout seul.

— Je le sais, dit Brand à voix basse, mais je suis debout...

Leith le fixa longuement, saisissant un désespoir qui lui avait toujours échappé.

— Me voilà sur le point de vous respecter, dit-il.

Le silence s'établit entre eux. Brand, immobile, était décontenancé. Comme s'il l'avait deviné, Leith reprit :

— Décidez-vous, Brand, vous allez être seul tout à l'heure, les autres seront loin. N'oubliez pas votre devoir, car c'est de lui, n'est-ce pas, qu'il s'agit ? Et un peu de vous aussi... Vous êtes fort maintenant, vous avez pu abattre Mokrane, au cœur pur... Mais décidez-vous ou bien voulez-vous savoir encore quelque chose ?

Il fouilla sous sa djellaba, enleva sa plaque d'identité et la lui tendit.

— Leith, je ne sais plus...

— Que voulez-vous savoir ? Il n'y a rien à apprendre que l'absurdité de nos espoirs sans issue, la grandiose absurdité de notre persévérance à vivre et à lutter qui nous confère notre dignité d'homme, notre goût presque pervers de la pureté, la pureté du Désert, la pureté là où n'est pas la vie. Dépêchez-vous, Brand, d'aller jusqu'au bout de votre absurdité et de la mienne, qui s'appelle l'aventure humaine, insensée... Il est vrai que, pour vous, il n'y a pas d'aventure, vous êtes un uniforme.

Il s'interrompit brusquement, saisi d'effroi à la pensée qu'il avait peut-être achevé les blessés avec un certain plaisir. Un rapport subtil s'établit lentement entre ses actes et sa philosophie désespérée. Avait-il pu les achever pour la justifier, inconsciemment ?

— Leith, avez-vous quelqu'un à prévenir ?

La question de Brand le surprit.

— Vous pensez à tout... très réglementairement . . . Oui : Mrs. Jane Brand, dit-il. Et vous pourrez lui dire que vous m'avez assassiné par amour pour elle, comme vous direz au major Callander que vous l'avez fait par devoir. Je ne veux pas que vous m'acheviez gratuitement, comme vous voyez.

Brand aurait voulu ne plus voir ce visage, ni entendre cette voix. Il sut tout à coup qu'il ne pourrait pas frapper en face. Leith était le plus fort, il venait de le détruire. La fragile certitude que la mort de Mokrane lui avait donnée était dissipée. Il ne savait plus rien. Le capitaine Brand était un enfant perdu. Le silence du Désert entrait en lui. Il était incapable de penser, plongé dans un désarroi qui le rendait étranger à tout. En jetant un regard désespéré à Leith et, comme si sa question eût dû le sauver, il dit :

— Leith . . . Jane n'a pas été à vous ?

Leith hésita à répondre. Il observa Brand longuement comme s'il cherchait à deviner sa réaction dès qu'il parlerait. Il eut envie de mentir pour le déterminer à frapper, puis il se rendit compte que Brand implorait, incapable de révolte et de violence, brisé.

— Brand, vous connaissez l'oiseau d'Arabie, chaste et orgueilleux. Il n'y est pour rien, il est seul de son espèce.

— Je ne vous crois pas.

— Parce qu'il vous est indispensable de ne pas me croire. Vous avez besoin de haïr, ou de mépriser pour vous affirmer. Pensez ce que vous voudrez. Vous ne la méritez pas. — Et comme s'il se parlait à lui-même, il ajouta : Elle était une enfant, vous l'avez séduite par le mensonge, vous n'êtes pas celui qu'elle admire ; le remarquable capitaine Brand, attaché au cabinet du vice-roi . . . Vous serez demain un héros célèbre peut-être . . . et vous saurez que cela n'est pas vrai. Un jour viendra où elle découvrira l'imposture de votre personnage. Peut-être aura-t-elle pitié . . .

— Taisez-vous, Leith.

— Le soleil est déjà haut. Dépêchez-vous. Vous verrez comme vous m'aimerez mort. Il n'y aura plus de témoin pour connaître le véritable capitaine Brand. Vous allez voir, quand je serai au bout de votre revolver, comme vous vous sentirez fort à nouveau. Ma mort vous est nécessaire. Je suis le miroir insupportable de votre faiblesse. Allons, ne soyez pas lâche, au moins une fois dans votre vie. Plus vous tardez, plus vous aurez de peine à rejoindre le commando. Chaque minute vous éloigne du puits. Ayez peur encore une fois de mourir . . . Et puis, qu'importe . . . je n'ai besoin de personne . . .

Il se tassa sur lui-même, épuisé.

Tout à coup le soleil s'obscurcit.

— Il est trop tard, Brand, c'est le « quibli ». Nous y resterons tous les deux.

En quelques minutes, le vent s'abattit sur eux, les aveuglant, râpant, comme une toile émeri, leurs visages jusqu'au sang.

Ils étaient maintenant immobiles et silencieux, captifs enfermés dans une prison de sable, repliés sur eux-mêmes. Envahi par une terreur incoercible, Brand sanglotait, la tête protégée par ses bras. Il rampa jusqu'à toucher Leith, cherchant dans sa présence une protection. Tout à coup, comme une bête qui tente de briser son piège, il se dressa, aveuglé par le sable, oscillant sous le vent comme s'il cherchait la direction pour fuir. Il voulut crier. Leith se jeta sur le côté et, lui enserrant les jambes d'un bras, le fit choir près de lui, le maintenant de toutes ses forces. Brand se débattait en hurlant de terreur. De sa main libre, Leith attrapa son revolver et lui assena un coup de crosse sur la tête. Il vit un instant les yeux fous de Brand près de son visage et il fut pris de pitié. Cette sorte de confiance animale que le capitaine lui avait faite en se rapprochant de lui comme s'il pouvait le protéger, le troubla. Il fit effort pour attirer vers lui le corps inerte de Brand, haletant, étouffé par le sable, les paupières brûlées, le visage haché par mille aiguilles, mille lames. Il installa la tête ballante et tourmentée à l'abri de sa poitrine. Les yeux fermés, il glissa la main sous la djellaba du capitaine. Quand il sut que le cœur battait, une grande joie l'envahit. Il resta immobile, ne se défendant plus contre la tempête. Au creux de son coude, il soutenait la nuque et dans sa main, comme dans une serre, reposait le menton de Brand. Le soleil disparu, la température s'abaissa brusquement, lui donnant une sensation de fraîcheur.

Une accalmie de la tempête, un mouvement de Brand, lui firent ouvrir les paupières. Celui-ci, les yeux levés vers lui, le regardait. De sa main libre, Leith attrapa sa peau de chèvre et la lui tendit.

— Avec la nuit, le quibli peut se lever, dit-il d'un air détaché pour masquer son trouble devant le regard étonné et pathétique de Brand.

Jusqu'au soir ils restèrent silencieux, tête à tête, et la nuit les surprit sans que le vent de sable se fût levé.

Leith rêvait à son passé. Il acceptait son destin, dépouillé de son orgueil, humble devant lui-même, sachant qu'il n'avait rien donné. Son goût de l'absolu, de la pureté, lui apparaissait maintenant monstrueux. Il avait combattu le meilleur de lui-même, son amour pour Jane, pour tous les hommes, parce qu'ils ne se révélaient pas tels qu'il les eût souhaités. Il avait fallu ce fugitif mouvement de Brand, cet appel désespéré d'enfant égaré pour lui arracher cet élan de violence protectrice. Il eût voulu parler à Brand, lui dire qu'il regrettait de l'avoir tourmenté, que Jane n'avait jamais été sienne, qu'il s'était mal conduit vis-à-vis de lui et que c'était lui, Brand, qui avait raison de croire en quelque chose, d'accepter un ordre, d'y vivre et de s'y soumettre. Qu'il y avait plus de courage à tenter de vaincre sa peur, ses faiblesses, qu'à vouloir réformer et dominer les autres. Il voulut parler mais le sable lui emplit la bouche.

Avec l'aube, le vent s'apaisa. Leith somnolait, respirant difficilement, le visage rouge de fièvre. Brand se leva, promenant un regard vide sur l'horizon. Leith se mit à réciter, comme dans un rêve :

... dans une plaine immense
sous les flocons de neige
Dix mille soldats patrouillaient ici et là,
C'est toi et moi qu'ils cernaient, ma chère,
c'est toi et moi qu'ils traquaient ...

— Leith !

Leith ne répondit pas ; les yeux hagards, cherchant autour de lui, il aperçut Brand.

— Allez-vous-en, cria-t-il, allez-vous-en ...

— Je voudrais vous demander pardon, Leith ... afin que Dieu puisse aussi ...

— Allez-vous-en ... Dépêchez-vous ... Ne me volez pas le peu de temps qui me reste.

Brand se mit en marche. Leith le suivit des yeux un long moment, puis il s'empara de son pistolet et tenta de l'armer. Il tira de toutes ses forces sur la culasse sans pouvoir l'amener en arrière jusqu'au cran de l'arme. Ses mains glissaient sur l'acier poli, il ne pouvait plus commander à ses doigts fébriles. Millimètre après millimètre, la masse lisse reculait sous son effort jusqu'à cet instant où la tension du ressort d'acier marquait la mesure de la force de Leith, pour renvoyer en avant la culasse, inoffensive, dans un claquement sec.

Il recommença, crispé, tout entier à son combat contre ce morceau de métal noir insignifiant. Il réussit à le faire reculer à nouveau et engagea le bout de son doigt, comme une cale, dans la fenêtre d'éjection qui commençait à se démasquer. Il reprit son souffle ; le doigt coincé, meurtri par l'acier, contenait la force du ressort. L'arme ressemblait à une bête mordant sa chair. Il leva la main ; elle suivit, accrochée à son doigt comme à une proie. Il était son prisonnier.

Maintenant, il était gêné : ne disposant plus que d'une main, il ne pouvait tenir la crosse et tirer en même temps la culasse. Il chercha à caler le pistolet entre ses jambes, le doigt toujours écrasé, ne voulant à aucun prix perdre ce centimètre qu'il avait gagné. Mais l'arme glissait entre ses cuisses. Il s'allongea et le combat continua. Il cherchait désespérément une pierre, un coin de roc dur sur le sable lisse. Il voulut se traîner, la douleur de sa jambe enflée lui arracha un cri. Et son regard, affolé, ne rencontrait autour de lui que la dune molle.

Alors, il fut pris de panique et se mit à appeler.

— Brand... David... le dernier ordre... le dernier.

Il s'arrêta épuisé, fixant de toute sa force la silhouette lointaine. Elle parut hésiter un instant au bord de l'horizon, ombre mince et noire en contre-jour sur le désert. Leith fut seul avec sa force dérisoire qui lui refusait sa propre mort, l'arme toujours accrochée à son doigt comme un défi. Une sorte de folie furieuse le souleva tout entier contre elle.

« C'est toi et moi qu'ils traquaient. » D'une allure de somnambule, Brand avançait vers l'est, répétant le vers comme une litanie. Il s'arrêtait pour souffler de temps en temps. Il crut entendre son nom « David » porté par le souffle du désert, et pensa à Jane, à cet appel désolé qu'elle avait eu quand il s'était laissé aller à la violence. C'était le matin d'un retour de réception où elle avait dansé toute la nuit, lui solitaire et jaloux de sa joie, prisonnier du verbiage d'un vieux couple. C'était le même cri désespéré, comme s'il l'avait frappée à mort.

— Jane, Jane.

Il murmura le nom humblement et reprit sa marche.

Le claquement lointain d'un coup de revolver l'atteignit brutalement et le rendit à la réalité. Ce fut comme si, brusquement, il était abandonné de tous. Cette présence agonisante de Leith derrière lui se dérobait soudain et le livrait à la solitude. Il eut la sensation que la dernière raison d'espérer lui faisait défaut. Il était seul, le dernier homme sur la piste. Il eut envie de crier sa peur, d'entendre sa voix, et hurla :

— A moi, les Rangers !

Le sentiment d'être enfermé, tant son cri étouffé lui parut sans portée, l'affola et il recommença, à en perdre haleine, pour forcer ce mur de silence qui l'enveloppait. Quand il fut épuisé, il s'assit sur le sable, sans force, caressant machinalement dans sa poche la plaque d'identité de Leith. Comme s'il était surpris, il porta la main à son cou et saisit la sienne, reprenant conscience de son existence. Alors il but une longue gorgée et se releva.

Le capitaine Brand regarda sa boussole, tira sa carte. Il n'avait plus peur, la médaille de Leith était là dans sa poche, la sienne autour de son cou et Jane, là-bas vers l'est, l'attendait. Il songea à Easton, blessé à la gorge, faisant trois cents kilomètres dans le désert du Sud, mourant de soif. Recueilli épuisé, agonisant, par une patrouille du L. R. D. G., il n'avait eu qu'un mot pour refuser le thé qu'on lui tendait : « Je le préfère sans sucre. » Il voulait être cet homme et, sous la clarté brutale qui lui brûlait les yeux, le capitaine Brand se mit en marche à la rencontre du soleil.

12

— Je n'aurais jamais pensé, Callander, à une semblable ingratitude, après un tel accueil. Enfin, à Aldershot . . . sans moi . . .

Le G. P. était effondré devant son bureau. Callander attendait l'orage qui ne manquerait pas d'éclater, il se préparait à y faire face.

— On nous reproche, Callander, de n'avoir pas utilisé le L. R. D. G. pour cette opération . . . Une querelle de jalousie. « Ils » ont beau jeu maintenant que nous avons dû avoir recours à leurs services.

— Nous n'avions pas le choix, Sir, entre notre avancement et la vie des hommes de l' « Operation Footing ».

— Si seulement ils avaient ramené des documents intéressants, mais rien. Pas une justification devant le Q. G. . . Et ils sont presque tous saufs . . .

Callander, écœuré par la cruauté du vieil homme, ne put se contenir. Il avait tremblé pour les hommes du commando et il eût tout donné pour qu'ils fussent sauvés, et maintenant que c'était chose faite, l'avenir du général et le sien ne l'inquiétaient guère ; il lâcha :

— Je ne mesure pas mes talents militaires au nombre des morts, Sir.

Il se leva. Paterson ne répondit pas.

— Callander, il faut préparer un rapport d'ensemble sur cette affaire : les conditions de sa préparation, les raisons pour lesquelles les motorisés du L. R. D. G. n'ont pu être utilisés doivent être mises en lumière. Vous me comprenez, n'est-ce pas ?

— Parfaitement, Sir.

Il fut sur le point d'ajouter une insolence : « A demi-mot, si j'ose dire », mais il se retint.

— J'attends, dit-il, d'une minute à l'autre le capitaine Brand et Evans. J'ai déjà vu les autres à leur arrivée, mais Brand était trop fatigué pour me faire un rapport.

— Avez-vous songé à faire des propositions de récompenses au général en chef ? C'est important. Brand : D. S. O. pour avoir fait sauter le Q. G. de Benghazi . . .

Le général Paterson rêvait que la gloire en rejaillirait sur lui, qu'une telle distinction accordée à un subordonné raffermirait sa situation.

— Sir, nous n'avons pas le droit de nous déshonorer. Ceux qui le méritent seront récompensés. Il n'est pas d'exemple, dans l'histoire de notre armée, qu'un officier qui a souillé les armes de Sa Majesté et, plus simplement, souillé son nom, soit honoré . . .

— Que voulez-vous dire ?

— Que le capitaine Brand a détruit un douar, près de M'Sous . . . comme un nazi . . . par peur. Sans parler de la mort du lieutenant Leith qui m'intrigue.

— M'Sous est un point d'appui allemand, peut-être a-t-il craint d'être trahi.

— Il n'avait qu'à ne pas se rendre dans ce douar. Cette opération ne leur a rien apporté qu'ils n'eussent pu obtenir autrement.

Le récit de Barton était trop présent à la mémoire de Callander et il l'entendait encore : « Sir, je n'ai pas compris ce qui s'est passé chez le capitaine Brand. »

— Non, Sir, il y a trop de cadavres inexplicables, et je saurai pourquoi. Voulez-vous me permettre de conduire l'interrogatoire du capitaine Brand ? — Et il ajouta comme à regret : Pour la réputation du chef du 3e Bureau. En tout cas, Wilkins va faire connaissance avec la prison d'Abassia.

— Vous êtes sûr, docteur ?

— Parfaitement, mon cher, vous n'avez absolument rien.

Il avait fallu à Brand tout son courage, quand il s'était trouvé dans son lit d'hôpital, pour demander au médecin les analyses qu'il redoutait. Mais la réponse du médecin le surprit.

— Ce n'est pas à cela que je pensais, dit-il. C'est à Leith, à sa piqûre, à la gangrène.

— La piqûre n'était pas mortelle . . . La gangrène : sans recours dans les conditions qui étaient les vôtres, amputation, transfusion, c'était au-dessus de vos moyens. Vous n'avez aucune responsabilité, capitaine Brand. C'est un drame fréquent. Votre femme vient d'arriver d'Ismaïlia, elle a téléphoné et sera là d'une minute à l'autre.

Le médecin regarda longuement le capitaine Brand. Il songeait aux analyses, au désarroi dans lequel il se trouvait quand l'avion l'avait déposé la veille au soir.

Brand était assis dans un fauteuil d'hôpital ; son visage brûlé se détachait sur le blanc de la housse ; la mollesse de ses traits avait disparu, mais son regard inquiet ne se fixait sur rien. Jane allait venir et il avait peur de l'affronter, comme il avait peur de se trouver devant Callander qui l'attendait en fin d'après-midi.

— Docteur, pensez-vous que, s'il ne s'était pas suicidé, il pouvait être sauvé ?

— Probablement, avec une amputation, mais calmez-vous, Brand. Personne ne pouvait savoir que la patrouille K3 était dans les parages et vous recueillerait.

— A six heures près . . .

— Oui . . . Peut-être vaut-il mieux pour lui qu'il en soit ainsi ; je ne vois pas le lieutenant Leith avec une jambe artificielle . . . Il était déjà suffisamment malheureux sous son air détaché, quelquefois cynique.

— Vous le connaissiez ?

— Très bien. Je crois qu'il lui manquait quelque chose ou plutôt qu'il a toujours lutté contre quelque chose en lui, la peur d'être faible, de se laisser aller à ses sentiments... Je ne sais pas !

— Ça a dû être terrible. Il avait les mains en sang, et il a dû se rater, tout au moins le coup n'a pas dû être immédiatement mortel.

Le médecin s'approcha de Brand. Il lui mit la main sur l'épaule et le capitaine se contracta. Il avait honte de la sollicitude de l'autre.

— N'y pensez plus, Brand ! C'est cela, la guerre.

Il se leva, accompagné du médecin, pour faire quelques pas sous les eucalyptus. Un groupe d'hommes le regardait venir. Il reconnut Barney, Wilkins et quelques autres. Il eut un mouvement d'hésitation, puis il les vit s'avancer vers lui. Ils souriaient et le saluèrent.

— Alors, Sir, on a quand même réussi.

Il semblait qu'ils avaient déjà tout oublié. Il y avait dans leur attitude un rien de familiarité qui mettait une barrière entre eux et les autres malades qui les observaient, comme s'ils eussent ainsi voulu leur signifier : « C'est notre capitaine, on est tous copains. » Brand les voyait comme des inconnus, surpris et touché à la fois. La mort de Leith lui parut plus lourde.

— Oui, dit-il, nous avons gagné.

— Quel feu d'artifice à Benghazi, docteur, si vous aviez vu ça ! ... Les gars de Rommel ne sont pas encore revenus de leur surprise.

— Ça, c'était du travail ...

Un malade à l'écart expliquait aux autres.

— Ce sont les gars de Benghazi, ceux qui ...

— Oui, dit Barney en se tournant. C'est nous, ceux de Benghazi. T'as qu'à nous regarder avec le capitaine, t'auras pas souvent l'occasion de voir une équipe de ce calibre-là. Hein, les gars ?

Ils se mirent à rire et Brand acquiesça, un peu contraint. Il n'éprouvait pas cette joie triomphante qu'il avait tant espérée. Il n'aperçut pas tout de suite les deux M. P. qui s'avançaient, accompagnés d'un officier. Quand il les vit, il eut peur.

— Capitaine Brand, Wilkins est-il là ?

— Qu'est-ce que vous lui voulez à Wilkins, les flics ?

Le soldat s'avançait vers eux, une moue de dégoût sur les lèvres.

— Suivez-nous.

— On peut savoir pourquoi ?

— Vous le saurez tout à l'heure.

Brand intervint.

— C'est un de mes hommes, il revient de Benghazi, ça ne vous dit rien ? dit-il d'un ton sec.

— Vous cassez pas la tête, Cap, dit Wilkins. Y sont jamais allés plus loin que le quartier réservé, pour ramasser les ivrognes et les putains.

Menaçants, ils avaient déjà encadré Wilkins.

— Emmenez-le, dit l'officier. Capitaine Brand, il n'est pas de tradition dans l'armée britannique d'exécuter les prisonniers.

Brand ne répondit pas.

— C'est à croire, dit Wilkins, que l'armée britannique n'a jamais crevé de soif . . . Tâchez de leur expliquer, Cap . . . C'était pour notre bien, pas vrai ? A bientôt, Cap !

Les hommes se regardaient, sans dire un mot, consternés. Le capitaine Brand tourna les talons sans pouvoir dissimuler sa crainte.

— Je ne pense pas que ça aille bien loin, dit le médecin, la folie de la soif peut excuser beaucoup de choses.

Quand ils rejoignirent la terrasse de l'hôpital, Jane arrivait. Elle poussa un cri avant de se précipiter vers lui.

— David !

Il ne bougea pas. « David », le cri l'avait atteint, brutalement. C'était celui des dunes, irréel, quarante-huit heures plus tôt. Le même appel. Il articula péniblement, comme s'il parlait seul :

— Leith est mort.

— Oh ! David, comme vous avez dû souffrir.

— Il a été piqué par un scorpion, puis la gangrène . . . Il s'est suicidé.

Il restait figé devant elle qui le fixait, ne comprenant pas ce qui se passait en lui. Elle attendait un élan d'amour. Alors elle fut prise d'une inquiétude, d'un soupçon informulable et se mit à pleurer.

Le claquement de la détonation était encore dans l'oreille de Brand. Leith agonisait entre lui et Jane, et la honte de ce qu'il avait fait le paralysait.

Il la regarda, puis l'étreignit enfin de toutes ses forces. Le médecin les avait laissés seuls. Le soleil jouait à travers les feuilles, les lézards furtifs couraient sur la terrasse. Brand les suivait des yeux, comme il avait suivi le scorpion de Leith. Jane se dégagea et il eut envie de tout lui dire. « Vous m'avez tué par amour » : la phrase de Leith l'arrêta par sa brutalité.

— Jane, dit-il, je t'aimais tant.

Déjà, elle s'éloignait de lui, comme si elle avait peur de cet homme au visage inconnu d'elle, au regard fermé. Elle eût voulu le secouer, percer le mystère de son attitude. Les larmes glissaient sur son visage immobile.

— Un scorpion l'a piqué . . . , répéta-t-il.

— David, tu n'y pouvais rien, n'est-ce pas ?

— Il s'est suicidé . . . six heures trop tôt . . . C'est ma faute, Jane . . . parce qu'il t'aimait.

Il fut encore sur le point de tout lui avouer, puis il se reprit en entendant une voix qui venait de la véranda :

— C'est le fameux capitaine Brand qui a fait sauter le Q. G. allemand de Benghazi.

Il se tourna et aperçut à travers les vitres un groupe autour du médecin. Tous le fixaient et, quand il leur fit face, ils lui adressèrent des sourires, des signes de tête pleins de respect et d'admiration. Il en fut transformé.

— Jane, dit-il en revenant vers elle, je voudrais te poser une question.

— Oui, David.

— Quels ont été tes rapports avec le lieutenant Leith ?

Elle le dévisagea longuement, surprise, puis inquiète, et elle éclata en sanglots. Leith était mort à cause d'elle. Elle n'en doutait plus. Pourquoi David n'avait-il pas répondu à sa question : « Tu n'y pouvais rien, n'est-ce pas ? » Tout sombra autour d'elle. Pauvre Leith ! Elle sut qu'elle l'avait profondément aimé, et que la victoire de David n'avait plus aucun sens pour elle.

— Réponds. Je suis attendu au Q. G.

— David, je comprends . . . Ce n'est pas possible . . . Ce n'est pas possible.

Une lueur d'effroi passa dans ses yeux.

— Comment as-tu pu ?

— Dieu t'a punie, dit-il. Je le savais.

Elle ne répondit pas, ramassa son sac sur le fauteuil, lentement, comme si elle hésitait encore, puis elle s'éloigna, désespérée.

— Que Dieu te garde, mon pauvre David ! Tu es fou.

Depuis deux heures, Brand parlait, racontant par le menu l' « Operation Footing » jusqu'à son succès. Callander et Paterson l'écoutaient, attentifs. Evans, assis à l'écart sur le bord de sa chaise, le menton haut, veillait à sa raideur devant le général Paterson. Il avait le regard approbateur du général.

Brand, maintenant, avait peur. Il était arrivé au moment décisif de son récit et il dut faire effort pour continuer.

Callander attaqua brusquement, sous l'œil soudain courroucé du G. P.

— Capitaine Brand, nous ne pouvons que vous féliciter pour ce magistral coup de main. J'ai maintenant à vous poser quatre questions. Voici la première :

— Pourquoi avez-vous exécuté le guide Mokrane ?

— Il a tenté de m'assassiner, Evans pourra vous le confirmer.

Evans s'agita sur son siège.

— C'est juste, Sir, dit-il.

— Pourquoi a-t-il voulu vous assassiner ?

— Je ne sais pas, Sir, peut-être a-t-il voulu trahir.

Callander fit comme s'il n'avait pas entendu la réponse.

— Deuxième question : Pourquoi n'avez-vous pas sévi contre le meurtre des prisonniers allemands ? Vous connaissiez le coupable.

— J'ai pensé d'abord qu'il s'agissait de Mokrane.

— Wilkins est à la prison d'Abassia, capitaine Brand, alors ?

— Je ne sais pas, Sir, je n'ai pas réagi sur le coup, nous étions à bout de nerfs . . .

— Troisième question : Pourquoi avez-vous

abandonné le lieutenant Leith ? Peut-être pouviez-vous le faire porter jusqu'au puits ?

Le général Paterson observait Brand. Il remarqua le mouvement de sa main droite qui alla légèrement gratter, derrière l'oreille gauche. Le G. P. essaya le même geste, puis se ravisa.

Brand ne répondit pas. Il s'essuya le front avec son mouchoir et se mit à le tortiller.

— Sir, dit-il enfin, le lieutenant Leith n'a pas voulu retarder notre marche. Quand il s'est rendu compte qu'il était un obstacle à notre avance, il s'est suicidé. C'était un gentleman.

— En effet, il s'est suicidé, dit Callander rêveur. Je crois, capitaine Brand, que vous avez raison : c'était un gentleman et plus encore sans doute que vous ne le pensez . . .

Brand respira longuement, comme un homme qui vient d'être sauvé de la noyade. Il avait franchi toutes les difficultés. Son visage se détendit. Le capitaine Brand redevenait le « héros de Benghazi ». Le coup de Callander fut porté brutalement :

— Malgré les instructions du lieutenant Leith, je n'ai pas prévenu Mrs. Jane Brand de sa mort. Je pense que vous vous êtes acquitté de ce soin. Il fixait Brand dans les yeux.

— Oui, Sir.

— Voulez-vous, Evans, nous laisser un moment, dit Callander.

Le sergent se leva et se retira après avoir salué.

— Brand, avant de vous poser la dernière

question, je dois vous dire que je ne suis pas dupe. Vous haïssiez Leith. Il est mort. Il semble que vous n'y êtes pour rien. Mais si vous y étiez, par hasard, pour quelque chose, alors, Brand, vous vous seriez trompé. J'ai longuement vu pendant votre absence Mrs. Jane Brand. Vous me comprenez ?

— Le lieutenant Leith m'a sauvé la vie, Sir, au moment de la tempête de sable. Après, je ne pouvais plus rien pour lui.

Brand dévisagea Callander en songeant à Jane, à ce qu'elle avait pu dire qu'il ignorait. Il pensa qu'il l'avait perdue stupidement alors qu'il était en train de vaincre jusqu'au bout, et se maudit de sa faiblesse devant elle.

Callander rappela Evans.

— Quatrième et dernière question : Pourquoi avez-vous détruit le douar près de M'Sous ?

La question surprit Brand ; il n'y avait jamais songé et il fut pris de panique.

— Alors, dit Callander, vous avez eu peur ? Qu'alliez-vous faire dans cette zériba au lieu de l'éviter ?

— Ils avaient volé nos chameaux. Nous avions besoin d'eau.

— En quoi cela pouvait-il vous restituer vos chameaux d'exécuter quelques pauvres gens ? Pour l'eau, il suffisait d'y envoyer Evans avec sa bête. Vous avez perdu la tête. Capitaine Brand, vous comprenez qu'il n'est pas possible d'accepter vos explications. La radio allemande a déjà diffusé qu'un commando anglais a assassiné les vieillards et les enfants. Demain, les tribus risquent de nous faire de sérieuses difficultés... Concluez ce qu'il vous reste à faire...

— Mais, Sir, notre sécurité...

— Elle n'était menacée que dans la mesure où vous êtes allé faire cette inutile opération. N'est-ce pas, Sir ?

— C'est parfaitement juste, Callander. Cette opération était insensée, Brand. Il m'est pénible de constater qu'un officier en qui j'avais mis toute ma confiance se soit conduit pareillement.

— Il ne nous convient pas de donner une plus large publicité à cette affaire, capitaine Brand. Aussi vous comprendrez qu'il faut vous faire oublier, n'est-ce pas ?...

— Evans, avez-vous quelque chose à nous dire ?

Le sergent se dressa au garde-à-vous.

— Non, Sir, le capitaine Brand a bien tout expliqué.

Evans savait qu'il avait quelque chose à dire, que tout n'était pas si clair : « Vous l'avez vu », avait dit Mokrane. Mais quoi ? Il ne trouvait pas les mots nécessaires pour exprimer ses doutes, le mystère qui gisait dans la phrase de l'Arabe. Il se rassit avec un geste d'impuissance.

— C'est bon. Messieurs, vous allez pouvoir vous retirer. Capitaine Brand, vous aurez votre mutation dans les quarante-huit heures. Vous l'attendrez à votre domicile. Vous pouvez disposer, messieurs.

Brand et Evans sortirent. Ils marchèrent un

moment côte à côte. Le capitaine, tout à son humiliation devant le sergent, n'osait pas parler. Il pensait à Jane qui lui avait signifié sa décision de le quitter. Il se trouva seul comme au milieu du désert de Derna. La tête vide. Incapable de croire à ce qui lui arrivait. Lui, « le héros de Benghazi », traité comme son père autrefois, muté d'office. Amère victoire ! La peur le prit à la gorge d'être envoyé dans une unité de combat, autant que de rejoindre un dépôt ; il eut besoin de la présence du vieil Evans.

— Evans, dit-il, vous m'accompagnez chez moi ?

— Non, Sir, il faut que j'aille voir comment vont les hommes.

— Dites-moi, Evans . . .

Il s'arrêta au bord de la question ; il avait besoin d'entendre un mot qui l'arrachât à sa solitude, à sa peur de l'avenir, au désespoir qui l'écrasait :

— Dites-moi, Evans, tout cela n'est-il pas injuste ?

Evans fut un moment avant de répondre. Ils arrivaient près de la jeep du capitaine quand il se décida.

— M'est avis, tout de même, Sir, que vous l'avez assassiné.

DOCUMENTS

FRAGMENT INÉDIT DU MANUSCRIT

— Je ne comprends pas que vous ne les haïssiez pas, Leith.

— Je ne peux pas haïr mon adversaire. Nous sommes si près l'un de l'autre. Envers et avers d'une même médaille. Pétris du même métal. Il n'y a que les profils perdus sur la surface qui soient différents.

— C'est notre devoir, Leith.

— Ne parlez pas toujours de devoir, Brand. Vous ne savez même pas ce que c'est.

— C'est de détruire mon ennemi.

— C'est le sien aussi de vous détruire ; vous ne pouvez plus être séparé de lui-même. Lutze qui sert et vous aussi, vous vous rejoignez. C'est sur un autre chemin que celui-là que je veux me reconnaître en mon ennemi. Si je le tue, c'est aussi moi-même que je condamne et tue à travers lui. Nous avons l'un pour l'autre le même visage. L'un et l'autre, inconscients dans le devoir qu'on nous a fixé pour nous innocenter de notre abominable crime contre nous-même.

— Je voudrais savoir pourquoi vous avez accepté cette mission. Par désespoir ?

— Non, pas par désespoir d'amour, car c'est ce que vous vouliez dire. Pour sortir de moi-même. Pour n'être plus seul, avoir un adversaire, me reconnaître en lui peut-être dans mon absurdité, notre absurdité fondamentale et aller jusqu'au bout de celle-ci — et, rêveusement, il ajouta : Peut-être aussi pour tenter de combler un vide, une insatisfaction.

— Pourquoi ne vous êtes-vous pas marié ?

— Pour ne pas être un fonctionnaire du mariage, comme vous êtes, vous, un fonctionnaire de la guerre. Je cherchais, Brand, ce qui ferait éclater cette force inutile en moi et lui donnerait un sens.

— Vous ne croyez pas en Dieu.

— C'est trop facile. L'avenir de l'homme dans toute sa liberté n'est qu'en lui, mais comment ? ... Peut-être faut-il d'abord s'aimer pour se supporter soi-même ...

Brand le regardait, se sentant misérable, découvrant l'univers de Leith. Il fut à la fois réjoui de savoir que cet être qui agissait sans hésiter, dont les réactions étaient toujours justes, était tourmenté comme lui ; puis il le jalousa, saisissant pourquoi il pouvait séduire Jane, pourquoi il l'avait séduite.

— Vous n'avez jamais aimé ? dit-il.

— Je n'en sais rien, je crois maintenant que

oui, mais ! . . . Il s'arrêta, observant Brand suspendu à ce qu'il allait dire.

— Vous l'aimiez, Leith ?

— Peut-être ?

— Alors ?

— Alors, l'oiseau d'Arabie demeure chaste parce que seul de son espèce.

— Comment ?

— C'est une idée . . . et vous ?

— J'aimais profondément Jane.

— Vous ne l'aimez plus ?

— Ce n'est pas ce que je voulais dire.

— Vous ne pensez pas, Brand, que cette conversation prend un tour de collégiens pleurards ?

— Ça vous gêne que je vous dise que j'aime Jane . . . en fonctionnaire du mariage, avec les responsabilités que cela suppose.

— Il n'est que de savoir si c'est cela l'amour.

— Leith, Jane vous admirait beaucoup à Ismaïlia . . .

— Depuis un moment, vous tournez autour de vos questions. Elles ne m'intéressent pas. Mais je puis vous dire que le jour où Mrs Jane Brand ne vous verra plus avec vos étoiles sur les épaules, je crains pour vous. Dépêchez-vous d'être Général . . . Elle est fort intelligente.

— Vous êtes un . . .

— Ne vous donnez pas la peine, il y a longtemps que je sais que vous le pensez . . . C'est un mot que Jane n'aimerait guère dans la bouche du Capitaine Brand.

Leith se leva pour aller s'asseoir à l'écart, Brand le regarda s'éloigner, au paroxysme de la rage.

UN SOUVENIR DE GUERRE

En 1944, un soir de guerre, j'étais assis, solitaire, dans une brasserie d'Alger. Sorti d'un monde grave et dur où chacun de nous était seul, je me sentais, dans ce cirque de pacotille, plus seul encore. Je buvais un affreux petit vin blanc aigre, dans des verres taillés dans des fonds de bouteille et c'était bien la plus démoralisante des boissons. J'aurais voulu demander grâce pour tous ceux qui allaient mourir encore, riches d'illusions, ignorants de cette étrange foire où les batteurs d'estrades tordaient les mots sacrés pour les réduire à la mesure de leur boniment.

Un officier vint s'asseoir à une table voisine, sans un regard pour la salle. Il portait la grenade verte de la légion étrangère sur la poche de sa chemise décolorée, mais sur les épaules brillaient les insignes anglais de son grade de capitaine. Deux rangées de passants pour fixer les barrettes des décorations étaient vides de celles-ci. Il se tenait droit, un peu raide, et commença à boire, le regard perdu dans un rêve. Je voyais son profil aigu, les yeux clairs enfoncés sous l'arcade sourcillière, l'iris mangé par la pupille dilatée. Il y avait quelque chose de pathétique dans l'expression figée de son visage brûlé, aux rides rares mais nettes. On eût dit qu'il ne voyait personne et cependant, en l'observant, je remarquai qu'un rire, une hâblerie ou une grossièreté dites à haute voix faisaient passer sur ses traits un mouvement de fureur méprisante, puis il reprenait son masque presque inhumain, sans âge.

Lentement son visage se colorait sous l'alcool, sans que son expression changeât. Je sentais qu'il n'appartenait pas à ce monde des soldats bruyants, heureux de vivre, ayant échappé à la mort qui composaient la clientèle et vivaient sans problème dans la chaleur de l'instant. Il était ailleurs, captif dans un enfer dont l'alcool même ne le libérait pas.

Et ce fut un étrange contact ; sans que j'aie fait un geste, il se tourna vers moi, me dévisagea longuement, comme pour prendre ma mesure. Une légère détente le transforma.

— C'est gai, dit-il, avec un curieux accent, en désignant la salle, me prenant à témoin de son ironie.

Puis il se replongea dans son mutisme comme si je n'avais pas existé, continuant à boire avec une application qui me bouleversait. Une heure passa ; quand il me regarda de nouveau, ses yeux bleus semblaient noyés de larmes. Je m'en voulus plus tard d'avoir pensé que c'était l'effet de l'alcool. Il sembla surpris de me voir encore là.

— Vous réussissez ? dit-il d'un air attentif.

Sa question me troubla. Il hocha la tête.

— Vous avez beaucoup de chance. Moi, c'est comme ça tous les jours. Ça dure ! ... Je n'ai pas encore trouvé le moyen !

Dans son sourire amer, son laconisme et la simplicité des mots, gisait un sombre désespoir. On eût dit un homme à l'agonie et qui se plaignait, simplement. Un homme qui « suicidait » sa conscience mais ne réussissait pas, trahi par une flamme de lucidité qu'il ne pouvait éteindre.

La nuit s'avançait lentement. Tout à coup il me fit face et dit brutalement :

— Savez-vous ce que c'est que d'achever des blessés ?

Je compris l'horreur dans laquelle il se débattait et mesurai la vanité de mes propres problèmes : la victoire que recueillaient déjà des mains indignes, les impostures qui s'affirmaient, le néant pressenti d'un combat dont les promesses agonisaient sous les ambitions et les parjures.

Je le regardai. Lut-il ma soumission devant son malheur ? Pensa-t-il que je savais ce que représentait sa question ? Ou bien crut-il que le récit de son propre drame pourrait m'apporter la paix ? Quoi qu'il en soit, il se rapprocha en disant :

— Vous voulez savoir, n'est-ce pas ? — Il avait à cet instant un regard inquiétant et mau-

vais, presque sadique, qui me surprit, puis il ajouta, comme pour lui-même :

— C'est sans importance.

Et il se mit à parler.

— Il est des choses difficiles à faire comprendre... Je ne sais pas si vous avez connu la soif... Si vous avez vu un homme mourir de soif.

Il me regarda et pour la première fois un demi-sourire éclaira son visage, un sourire jeune qui lui donnait un air tendre.

— Ça n'est pas pour cela que je bois, dit-il et, après un long silence, comme un homme pressé d'en finir, il se mit à parler plus vite d'une voix monotone.

« Nous étions cinq, six, je n'en sais plus rien. Notre commando avait été dispersé après une opération sur un convoi italien remontant du sud vers M'sous. Une toute petite erreur de calcul des ingénieurs sur la résistance des ponts-arrière de notre véhicule a fait que nous n'avons pas pu nous dégager. Les Italiens étaient pressés et n'ont pas réalisé ce qui nous arrivait, sans quoi...

« Oui, nous étions six rescapés quand le dernier camion italien continuant de tirailler disparut derrière les dunes. Nous sommes restés deux jours sur place, le poste radio détruit, à subir les exigences d'un fanatique de la mécanique qui prétendait remettre le pont en état. Il n'y a rien de pire qu'un type qui a la passion de la mécanique par 50° à l'ombre. Personne

n'existait plus, ce foutu pont arrière était devenu un monstre récalcitrant qu'il fallait dompter, maltraiter, caresser selon l'humeur du moment. Nous étions tous devenus des manœuvres ignorants, soumis à notre mécanicien ; souffrant et espérant avec lui. Quatre cents kilomètres de désert s'étendaient devant nous, nous encourageant à persévérer.

« Avez-vous remarqué l'admiration des ignorants pour les techniciens dans le monde actuel. Ils ont quelque chose des magiciens aux yeux du vulgaire. C'est une nouvelle race d'hommes, de maîtres.

« Malgré toute notre foi dans notre camarade, l'impatience nous gagna le second jour en même temps que les réserves d'eau s'épuisaient.

« Vaincu par le pont arrière le mécanicien avait perdu tout prestige. Ce fut le début du drame. Je dus les calmer, ce fut le lieutenant R... qui venait de Guernesey qui rompit la tension en déclarant solennellement :

« — Rien ne sert de courir il faut partir à pied. Aucun des hommes ne mesura tout l'humour de R..., mais ils prirent le parti de rire.

« Après nous être chargés d'eau, de vivres et de nos armes individuelles, nous nous décidâmes à tenter de gagner, au sud, la zone opérationnelle d'une patrouille des Rangers. Avec un peu de chance nous pouvions être recueillis dans une quinzaine de jours. C'est-à-dire que nous serions tous déjà morts avant, l'eau ne durerait pas plus de 8 jours. Le septième jour, la fièvre

s'empara du mécanicien. Il délirait puis il se coucha, refusant d'avancer. Je rendis à chacun sa liberté. Deux hommes nous quittèrent, poursuivant leur marche sans dire un mot après avoir repéré sur une carte notre position au cas où ils trouveraient du secours. Je n'étais pas dupe de leur volonté de nous sauver. Ils avaient peur.

« Le lieutenant R... resta avec moi et le soldat W... un dur. Nous restâmes indécis auprès du mécanicien, toute la journée, espérant qu'il reprendrait des forces. Il ne se releva pas. Je décidai de l'abandonner en lui donnant une partie de notre eau. W... protesta mais finit par se laisser fléchir.

« Je ne pouvais m'empêcher de me retourner et la tache grise du corps allongé sur le sable me donnait envie de crier, de mourir et pourtant qu'y avait-il d'autre à faire que de partir ? Je l'entendais crier dans son délire. Je le vis tenter de se relever puis retomber sur place en griffant le sable. Quand je ne l'aperçus plus nous nous arrêtâmes.

« Au bout d'un moment de silence W... se leva et reprit la direction du moribond. Le lieutenant R... n'avait pas pu regarder. J'eus beau appeler, W... ne se retourna pas.

« Nous savions ce qu'il allait faire, récupérer le peu d'eau que nous avions laissé. Sans prononcer un mot nous revînmes sur nos pas pour rattraper W... Il accéléra l'allure.

« Le lieutenant lui tomba dessus au moment ou il assommait le mécanicien. La bataille fut

brève alors que j'étais occupé auprès du malheureux.

« W . . . se débattait, l'écume aux lèvres, les yeux décentrés. Gêné par sa djellaba, le lieutenant n'arrivait pas à le maîtriser.

« — Je t'aurai salope !

« Ce fut son dernier cri, il s'abattit sur le sol, le corps arqué tentant encore de frapper. Puis il se détendit comme un ressort et le lieutenant poussa un hurlement. W. . . , la mâchoire plantée dans la jambe du lieutenant, comme une bête, déchirait la chair. Celui-ci s'écroula. Comme un fauve, rivé à la jambe, W . . . restait immobile, haletant. Quand je me précipitai pour les séparer, je réalisai que W . . . était dans une sorte de coma épileptique, les mâchoires bloquées ; le sang giclait de la morsure. J'ai dû utiliser mon poignard pour faire lâcher prise à cette bête humaine.

« J'avais devant moi trois corps étendus, le mécanicien geignait, se débattait, la bouche maculée de sable. Son agonie n'en finissait pas. Le lieutenant R . . . essayait de se placer un pansement, il était vert sous son hâle.

« J'avais désarmé W . . . La fin de l'après-midi passa. Je n'en pouvais plus de voir se tordre le mécanicien. Il n'avait plus d'eau. Je pris la gourde de W . . . , il en restait quelques gorgées.

« Je ne sais pas ce qui s'est passé alors en moi. Je me suis levé, j'ai abattu W . . . et j'ai achevé le mécanicien. R . . . eut un cri. Il resta

une éternité à trembler. Le soir j'aidai le lieutenant à se relever. Il resta debout et dit :

« — Sir, excusez-moi. Je crois que c'est juste. Et il se mit en marche en traînant la jambe. C'était la première fois depuis une année qu'il m'appelait « Sir ».

« Deux jours après il avait la gangrène, le mollet aussi gros que la cuisse.

« Nous avions bu notre dernière goutte d'eau et nous n'avancions que très lentement. Je l'aidais comme je pouvais. Mais c'était sans espoir. Au jour il se coucha.

« — John. J'ai la jambe noire jusqu'à l'aine. Puis-je vous demander un service ?

« Je savais où il voulait en venir et ne répondis pas.

« — John, vous voulez que je sois damné.

« — Je n'ai pas le droit.

« — C'est moi qui vous le demande. Je n'en puis plus.

Il avait souffert avec une dignité et un courage rares. Maintenant il était perdu, il avait fait des efforts surhumains pour ne pas crier à chaque pas. Deux larmes roulèrent sur son visage, il sortit son revolver.

« — Ce n'est pas bien, dit-il, de me le laisser faire. Vous ne croyez pas en Dieu . . .

« Alors je l'ai fait. Quarante-huit heures après, j'atteignais un puits en rampant. »

Document de la couverture : René Hardy a bien voulu nous communiquer la carte de la Libye sur laquelle il avait esquissé l'itinéraire imaginaire de l'Opération Footing. Une variante passant plus au nord a été abandonnée. Les signes portés par l'auteur lui-même sur le parcours suivi dans le roman en évoquent les dramatiques étapes :

+ *combat avec les Allemands*
● *pillage du douar*
★ *piqure du scorpion*
▲ *arrivée des secours*

Ce fragment de carte est reproduit avec l'autorisation de Girard, Barrère et Thomas, cartographes.

Ce volume, *le quarantième de la collection « Fiction », a été réalisé par* Les Libraires Associés, *sur les maquettes de Pierre Faucheux ; composé en Bodoni corps 12, il a été tiré sur alfa, achevé d'imprimer le 31 mars 1956 sur les presses de l'Imprimerie Savernoise, à Saverne, et relié dans ses ateliers.*

L'édition comporte 5.000 exemplaires numérotés de 1 à 5.000, réservés aux membres du Club des Libraires de France, *et 150 exemplaires de collaborateurs marqués H. C.*

Exemplaire N° 4675